Os prazeres da alma

do autor de "As Dores da Alma"

FRANCISCO DO ESPIRITO SANTO NETO
ditado por **HAMMED**

Dados Internacionais de Catalogação na Publicação (CIP)
(Câmara Brasileira do Livro, SP, Brasil)

Hammed (Espírito) .
Os prazeres da alma / pelo espírito Hammed;
[psicografado por] Francisco do Espírito Santo Neto
Catanduva, SP : Boa Nova Editora, 2003.

ISBN 85-86470-26-0

1. Espiritismo 2. Médiuns 3. Psicografia
I. Espírito Santo Neto, Francisco do. II. Título.

03-0641 CDD-133.93

Índices para catálogo sistemático:
1. Mensagens psicografadas : Espiritismo 133.93

Impresso no Brasil/*Presita en Brazilo*

FRANCISCO DO ESPIRITO SANTO NETO
ditado por HAMMED

Os prazeres da alma

Instituto Beneficente Boa Nova
Entidade coligada à Sociedade Espírita Boa Nova
Av. Porto Ferreira, 1.031 | Parque Iracema
Catanduva/SP | CEP 15809-020
www.boanova.net | boanova@boanova.net
Fone: (17) 3531.4444 | Fax: (17) 3531.4443

15ª edição
Do 123º ao 128º milheiro
5.000 exemplares
Novembro/2019

Capa
Direção de arte
Francisco do Espírito Santo Neto
Designer
Cristina Fanhani Meira

Diagramação
Juliana Mollinari
Cristina Fanhani Meira

Revisão
Mariana Lachi
Paulo César de Camargo Lara

Coordenação Editorial
Ronaldo A. Sperdutti

Impressão
Mark Press

O produto da venda desta obra é
destinado à manutenção das atividades
assistenciais da Sociedade Espírita
Boa Nova, de Catanduva, SP.

1ª edição: Abril de 2003 - 10.000 exemplares

Leonardo da Vinci. ***A Virgem das Pedras.*** 1506-1508.
Óleo sobre madeira. Galeria Nacional, Londres, Reino Unido.

Índice

Afetividade

Amar não significa esperar que alguém nos satisfaça todos os anseios e necessidades que cabe só a nós satisfazer. 51

No futuro, a religião superior ou natural só será fundamentada na mais afetuosa fraternidade e professada individualmente pela criatura que superou o "ser religioso" e desenvolveu em si o "ser religiosidade". 55

Tudo o que existe tem sua origem no amor – essência fundamental de todas as coisas que vivem sobre a Terra. A busca do amor é o principal anseio de todo ser humano. 59

Autoconhecimento

O autoconhecimento é a capacidade inata que nos permite perceber, de forma gradativa, tudo que necessitamos transformar. Ao mesmo tempo, amplia a consciência sobre nossos potenciais adormecidos, a fim de que possamos vir a ser aquilo que somos em essência. 63

Só tememos o que desconhecemos. O autoconhecimento requer um constante exercício, no reino do pensamento reflexivo, sobre as sensações externas e internas. Viver uma vida sem reflexão é como escutar uma música sem melodia. 67

Respeito

Somente optando pelo autorrespeito é que conseguiremos o respeito alheio. Encontraremos nos outros a mesma dignidade que damos a nós mesmos. 71

Num futuro breve, quando a mulher se legitimar pelo que é e por onde quer chegar, adquirirá o respeito – dos outros e de si mesma. 75

Liberdade

A liberdade, como todas as demais conquistas da alma, só será alcançada verdadeiramente se for compartilhada com os outros. 81

Para estar em plena liberdade, precisamos nos soltar, fluir pelos ritmos da vida. Muitas vezes, é no "ato de perder" que encontramos a razão da própria existência. 85

Lucidez

Enquanto vivermos de forma mecânica, irrefletida e sem a intervenção consciente da lucidez e do discernimento, nos privaremos de possuir uma mente tranquila e um coração pacificado. 89

Quem possui lucidez não exalta o talento, nem evidencia a inabilidade; simplesmente analisa os fatos na sua totalidade, utilizando os "olhos da equanimidade", ou seja, do entendimento, da imparcialidade e da moderação. 93

Naturalidade

Humildade

Compaixão

Coragem

Compreensão

Generosidade

Aceitação

Os Prazeres da Alma

A "hermenêutica", que poderia traduzir-se como a "arte de interpretar textos ou o sentido das palavras", expõe em detalhes o significado de trechos ou mesmo de obras inteiras (literárias, religiosas, artísticas, etc.). Ela deriva do nome próprio grego "Hermes" – filho de Júpiter, deus da eloquência, considerado o "mensageiro dos deuses".

Nesta obra, a exemplo de "As dores da alma" [1], servimo-nos das contribuições da "hermenêutica" para proporcionar uma série de sugestões com o objetivo de nos comunicarmos melhor e, simultaneamente, fazer com que os outros possam nos entender com maior clareza.

Organizamos nossas ideias e considerações reflexivas sem nenhuma pretensão de nos julgarmos versado hermeneuta ou especialista em qualquer tipo de elucidação. Queremos apenas, humildemente, submetê-las ao valioso e habitual exame dos leitores amigos.

Muitos companheiros poderão se surpreender com nossa técnica de isolar os trechos das questões de "O Livro dos Espíritos", revestindo-os de tonalidades e vivacidade peculiares. De algumas questões retiramos apenas pequenas sentenças, envolvendo-as com um aspecto particular e, em outras ocasiões, aproveitamo-las por completo.

Agimos dessa maneira porque acreditamos que, num extenso pomar, onde há o cultivo de grande quantidade de árvores frutíferas, cada uma delas tem função e qualidade exclusivas. Assim também no imenso conjunto dos ensinamentos da Doutrina Espírita: cada estudioso adapta-se a determinada compreensão ou entendimento conforme seu grau evolutivo, na grandiosa escala da vida universal.

Transcorridos 145 anos do surgimento do Espiritismo, sua mensagem continua sendo a luz que ilumina o organismo social terrestre e inaugura nas paisagens do mundo uma Nova Era. Restaura nos corações humanos os ensinamentos límpidos do Evangelho de Jesus e abre espaço no seio da humanidade para uma religião de realidade interna.

A Ciência do Espírito proporciona o bem geral definitivamente, concedendo às criaturas a paz e o contentamento de viver, enquanto a ciência acadêmica, que é igualmente útil e benéfica, tenta reivindicar para si o atributo de constituir o único meio capaz de pesquisar e compreender as coisas do Universo.

Este livro é parte de um esforço reflexivo no qual analisamos algumas das teorias psicológicas do eminente pesquisador e psicólogo Dr. Carl Gustav Jung sob a ótica dos conceitos espíritas; também estudamos outras, utilizando as concepções do budismo. Mas, efetivamente, nos servimos, de modo especial, da psicologia espírita, que está sedimentada na visão cristã e na fé raciocinada e desvinculada de qualquer caráter convencional ou místico.

Os textos aqui reunidos são produto de nossa experiência de vida, e foram aprimorados de maneira espontânea no decorrer do tempo. Fazem parte do conjunto de bens de nosso diminuto patrimônio de convicções e preceitos.

Foram objeto de estudo os potenciais humanos, os quais denominamos de "prazeres da alma" – sabedoria, alegria, afetividade, coragem, autoconhecimento, lucidez, compreensão, amor, respeito, liberdade, desapego, compaixão, individualidade, perdão e outros tantos.

Não desejamos, porém, criar "conceitos estáticos e distintos", pois acreditamos que dar "receitas virtuosas" ou apresentar "cartilhas comportamentais" é acreditar que há uma só visão de mundo ou uma só descrição correta e exata das coisas, ignorando que as experiências podem complementar as ideias e ampliar as percepções tal como elas são, aqui e agora e a cada momento no futuro.

Tudo o que precisamos aprender é analisar cada sensação, fato ou acontecimento no instante em que eles surgirem. Jamais definir ou atribuir significados rígidos e taxativos a tudo o que existe. O "caminho da multiplicidade" nos mostra bem como ver e fazer isso.

Não devemos enaltecer nossas concepções, ou tomá-las como ideias absolutas, mas analisá-las simplesmente como valores relativos. Só nos pertence aquilo que provém de nós mesmos. Devemos reaproveitar a realidade dos outros como "pontes", contentando-nos, porém, com nossa própria realidade. Não se pode reter ou guardar nada daquilo que não tenha vindo de nossas vias inspirativas.

Os livros ou as obras literárias podem muito nos ajudar, desde que não os elejamos como a verdade. A verdade não está na conceituação das palavras ou textos que se leem, mas nas experiências que podemos ter com ela, e a partir dela.

Por exemplo, estas páginas podem ser comparadas a uma "jangada" que nos transporta de uma margem para outra do rio. Todavia, quando chegamos ao outro lado, devemos buscar "horizontes" só nossos, e não nos prender obstinadamente ao meio de transporte que nos conduziu. Atingida a outra margem, precisamos ir mais além e não "olhar para trás"[2], mas "caminhar despertos e desapegados", seguindo o próprio ritmo existencial em busca da verdade.

"E a numerosa multidão O escutava com prazer!"[3] Buscamos neste trecho do Novo Testamento a inspiração para o título deste livro. A passagem aqui referida é registrada pelo apóstolo Marcos quando descreve o ministério de Jesus no templo de Jerusalém diante da coletividade que se reunia costumeiramente naquele recinto.

A eloquência do Nazareno transbordava de sua comunhão com Deus, e todos os que o ouviam sentiam intimamente um sagrado êxtase de amor. O Espírito nas sensações transcendentais rejubila-se por causa da sensação de liberdade.

O Cristo estava imerso na plenitude do Criador; por isso, suas palavras faziam emergir das profundezas das criaturas os adormecidos "prazeres da alma". Sua argumentação amorosa e lógica levava as pessoas a sentimentos muito intensos de alegria, prazer, admiração e entusiasmo.

Nossa maior fonte de desprazer ou insatisfação é acreditar que os recursos de que necessitamos para bem viver estão fora de nós. Os bens de que precisamos estão dentro de nós, visto que cada ser humano é um "livro sagrado" ou uma "biblioteca viva" de conhecimentos imortais.

Agradeço ao Senhor da Vida o presente trabalho, levado a efeito graças à colaboração de um conjunto de amigos generosos que se dedicam a divulgar o conhecimento da Vida Maior. Seareiros que oferecem a todos os leitores um "novo entendimento", para que possam viver de uma maneira plena, buscando no templo da própria alma a luz celeste.

A "consciência iluminada" é a salvação das almas. O "reino dos céus" não despertará em nosso mundo interior enquanto estivermos atrelados a algum modelo externo de vida. Isso só ocorrerá quando nos sintonizarmos com a essência divina que existe em nós, a qual será sempre o nosso porto seguro, a moradia de que precisamos e que um dia se revelará por abrigo e consolo, bênção e segurança, hoje e amanhã, agora e sempre.

Com apreço e votos de paz,

Hammed

Catanduva, 16 de outubro de 2002.

[1] *Obra também editada pela Boa Nova*

[2] *Lucas, 9:62*

[3] *Marcos, 12:37*

Alegria

Alegria como experiência de religiosidade é um valor que não tem preço. Essa sensação da alma, mais do que qualquer outra coisa, contagia e abranda o coração dos homens.

A maioria das pessoas tem uma visão distorcida da alegria, pois a confunde com festas frívolas e divertimentos que provocam sensações intensas, risos exagerados; enfim, satisfações puramente emocionais.

Aliás, não há nada de errado em ser jovial, bem-humorado, festivo e risonho. Sentir as emoções terrenas inclui-se entre as prerrogativas que o Criador destinou a suas criaturas. Vivenciar a normalidade das sensações humanas é um processo natural estabelecido pela Mente Celestial.

Talvez as religiões fundamentalistas tenham mesclado as ideias contidas nas palavras *alegria* e *tentação*. Na realidade, o Mestre ensinava a seus seguidores que vivessem com alegria. "Eu vos digo isso para que a minha alegria esteja em vós", diz Jesus, "e vossa alegria seja plena"[1].

A verdadeira alegria está associada à entrega total da criatura nas mãos da Divindade, ou mesmo à aceitação de que a Inteligência Celestial a tudo provê e socorre.

É a confiança integral em que tudo está justo e certo e a convicção ilimitada nos desígnios infalíveis da Providência Divina.

A palavra aleluia tem origem no hebreu "*hallelu-yah*" e significa "louvai com júbilo o Senhor". Tem sido usada como cântico de alegria ou de ação de graças pela liturgia de muitas religiões a fim de glorificar a Deus. A designação "sábado de aleluia", utilizada pela Igreja Católica, tem como fundamento a exaltação à alegria, visto que nesse dia se comemora o reaparecimento de Jesus Cristo depois da crucificação.

Viver em estado de alegria é estar plenamente sintonizado com nossa paternidade divina, através das mensagens silenciosas e sábias que a Vida nos endereça.

A "entrega a Deus" é a base de toda a felicidade. No entanto, o problema reside em algumas religiões que recomendam a "entrega" não a Deus, mas a mandatários ou representantes "divinos", ou mesmo a congregações doutrinárias que impõem obediência e subordinação a seus diretores.

Condutas semelhantes acontecem em seitas ou em grupos dissidentes de uma religião, em que há uma entrega incondicional dos adeptos ao líder religioso e que resulta, inicialmente, numa suposta sensação de alegria e satisfação.

Na realidade, quando existe subordinação na nossa "entrega a Deus", ela não pode ser considerada real, pois, mais cedo ou mais tarde, a criatura vai notar que está encarcerada intimamente e que lhe falta a verdadeira comunhão com o Criador.

Viver em "estado de graça" ou em "comunhão com Deus" é estar perfeitamente harmonizados com nossa natureza espiritual. É a alegria de repetir com Jesus Cristo: "Eu estou no Pai e o Pai está em mim" [2].

A felicidade é um trabalho interior que quase nunca depende de forças externas. Deus representa a base da alegria de viver, pois a felicidade provém da habilidade de percebermos as "verdadeiras intenções" da ação divina que habita em nós e do discernimento de que tudo o que existe no Universo tem sua razão de ser.

O homem carrega na sua consciência a lei de Deus[3], afirmam os Espíritos Superiores a Allan Kardec. *"A lei natural é a lei de Deus e a única verdadeira para a felicidade do homem. Ela lhe indica o que deve fazer e o que não deve fazer, e ele não é infeliz senão quando se afasta dela"*[4].

Alegria como experiência de religiosidade é um valor que não tem preço. Essa sensação da alma, mais do que qualquer outra coisa, contagia e abranda o coração dos homens.

"Ninguém fica feliz por decreto"; sente imensa satisfação apenas quem está iluminado pela chama celeste. Rejubila-se realmente aquele que se identificou com a Divindade e descobriu que "*a lei natural é a lei de Deus e a única verdadeira para a felicidade do homem*".

A alegria espontânea realça a beleza e a naturalidade dos comportamentos humanos. Cultivar o reino espiritual em nós facilita-nos a aprendizagem de que a alegria real não é determinada por fatos ou forças externas, mas se encontra no silêncio da própria alma, onde a inspiração divina vibra incessantemente.

[1] *João, 15:11*

[2] *João, 14:11*

[3] *Questão 621 de "O Livro dos Espíritos"*

[4] *Questão 614*

Que se deve entender por lei natural?

"A lei natural é a lei de Deus e a única verdadeira para a felicidade do homem. Ela lhe indica o que deve fazer e o que não deve fazer, e ele não é infeliz senão quando se afasta dela."

Alegria

É muito bom vivenciar a alegria de encontrar o "tesouro escondido no campo da própria alma", isto é, reconhecer o Si-mesmo, a mais profunda realidade – a "vontade de Deus", que sustenta, resguarda e inspira o ser humano a progredir de modo natural e sensato.

Todos nós fomos criados pela Divina Sabedoria do Universo para ser felizes, tanto no plano físico como no astral, e certamente por toda a eternidade. A alegria de viver é um atributo natural de toda criatura humana – herança de sua filiação divina.

Na realidade, a alegria começa quando somos responsavelmente livres para ser nós mesmos; quando tomamos o leme de nossa vida nas próprias mãos e deixamos de ser escravos de algo ou de alguém. A bem da verdade, dizem os Benfeitores Espirituais: "*Toda sujeição absoluta de um homem a outro homem é contrária à lei de Deus*" [1].

Não "*há homens que sejam, por natureza, destinados a ser propriedade de outros homens*". Muitas pessoas acreditam que, sentindo e pensando como os outros, serão mais aceitas e amadas. Outras pensam que, comportando-se de forma submissa, débil e servil, evoluirão mais depressa. Elas ignoram que, assim procedendo, estarão perdendo contato com a própria fonte sapiencial, que promove o encontro com a "vontade de Deus". A prova disso é o que Paulo de Tarso escreveu aos romanos: "E não vos conformeis com este mundo, mas transformai-vos, renovando vossa mente, a fim de poderdes discernir qual é a vontade de Deus." [2]

A "vontade de Deus", ou *imago Dei,* reside nas criaturas e representa um "livro sagrado" a ser desvendado na própria intimidade.

Sustenta Jung que trazemos em nosso íntimo a "imagem de Deus" – a marca do *Si-mesmo* (o *Self* inglês). Segundo as teorias junguianas, "o *Si-mesmo* não é apenas o centro, mas também toda a circunferência que contém em si tanto o consciente quanto o inconsciente; ele é o centro dessa totalidade, assim como o ego é o centro da consciência". Carl Jung afirmava que o *Self* preside a todo o governo psíquico, é uma autoridade suprema e é considerado a unificação, a reconciliação, o equilíbrio dinâmico, um fator interno de orientação do mais alto valor.

Ajustando esses conceitos à nossa fé espírita, podemos dizer que o Cristo é o símbolo do *Si-mesmo*, porque se identificou plenamente com a "vontade de Deus". O Mestre reconheceu em si a *imago Dei*, visto que integrou sua compreensão do mundo exterior com tudo aquilo que é divino em si mesmo.

A concepção católico-cristã primitiva da *imago Dei*, assegurada na figura de Jesus, expressa, em verdade, que somente o Mestre retinha a totalidade da natureza divina. Ele é denominado até os dias atuais pela Igreja de Roma de "Filho Unigênito de Deus" – não manchado pelo pecado. Por outro lado, a religião romana afirma que os seres humanos não possuem as mesmas potencialidades celestes que possuía o Mestre, uma vez que a imagem divina do homem foi danificada e corrompida pelo "pecado original", e só será restaurada pela misericórdia do Criador.

Entretanto, os Guias da Humanidade afirmaram a Allan Kardec que os denominados anjos, arcanjos e serafins não formam uma categoria especial de natureza diferente da dos outros Espíritos [3], e que todos nós passamos igualmente por estágios na escala evolutiva, sem nenhuma distinção, prerrogativa ou exclusividade.

Não podemos conferir a um indivíduo uma criação superior ou especial em relação aos demais. Jesus de Nazaré não é filho privilegiado de Deus, mas um ser que desenvolveu suas potencialidades em altíssimo grau, incluindo-se entre os Espíritos que "aceitaram suas missões sem murmurar e chegaram mais depressa" [4]. Superou a condição humana por sua elevada evolução espiritual. É um modelo real que todos nós poderemos atingir, se seguirmos seus passos e exemplos existenciais.

O verdadeiro contentamento fundamenta-se no fato de usarmos de forma livre, consciente e sensata a capacidade de ser, pensar, sentir e agir. A alegria de viver está baseada na certeza que experimentamos quando reconhecemos que palpita em nós uma tarefa suprema – *o Self ou Si-mesmo* –, que é a de manter todo o nosso sistema psíquico unido e reedificado toda vez que ele correr perigo de se fragmentar ou desequilibrar.

Uma vez que está impressa em nós a *imago Dei*, estamos em contato com essa "totalidade" ou "poder superior" e, portanto, sua presença atrai o ponteiro da "bússola interior", que nos indica o porto seguro da Vida Providencial. Quando seguramos as rédeas da própria existência, assenhoreando-nos dela, vivemos tranquilos e felizes e não mais necessitamos impor, comandar e controlar os outros, nem utilizar compulsoriamente a aprovação e os aplausos alheios para decidir ou agir, porquanto estamos firmados em nosso mais profundo "senso de identidade" com a Consciência Sagrada.

Não é egoísmo abrigar na alma uma sensação de aceitação genuína e profunda de nós mesmos, nutrindo uma autêntica autoestima e uma alegria que resultam num sentimento íntimo de vivacidade e contentamento. Essas ideias podem de início nos incomodar ou surpreender, já que podemos associá-las à vaidade ou ao orgulho. Por sinal, escreveu o apóstolo Mateus: "O Reino dos Céus é semelhante a um tesouro escondido no campo; um homem o acha e torna a esconder e, na sua alegria, vai, vende tudo o que possui e compra aquele campo."[5]

É muito bom vivenciar a alegria de encontrar o "tesouro escondido no campo da própria alma", isto é, reconhecer o *Si-mesmo*, a mais profunda realidade – a "vontade de Deus", que sustenta, resguarda e inspira o ser humano a progredir de modo natural e sensato.

Há muitas formas de escravidão. Não devemos nos escravizar a nada nem a nenhuma pessoa, pois o grau de alegria é proporcional ao grau de liberdade que possuímos.

Dentro de nós existe um universo ilimitado que infelizmente reduzimos ao mundo insignificante de nossos interesses mesquinhos. Quando nos identificarmos com o Criador, a alegria passará a ser presença marcante em toda e qualquer de nossas atitudes.

[1] *Questão 829*

Há homens que sejam, por natureza, destinados a ser propriedade de outros homens?

"Toda sujeição absoluta de um homem a outro homem é contrária à lei de Deus. A escravidão é um abuso da força e desaparecerá com o progresso, como desaparecerão, pouco a pouco, todos os abusos."

Nota *- A lei humana que consagra a escravidão é uma lei antinatural, visto que assemelha o homem ao animal e o degrada moral e fisicamente.*

[2] *Romanos, 12:2*

[3] *Questão 128 de "O Livro dos Espíritos"*

[4] *Questões 129 e 130 de "O Livro dos Espíritos"*

[5] *Mateus, 13:44*

Desapego

Não adianta "fecharmos as cortinas da janela da alma" a fim de levarmos uma vida de sonhos – repleta de pensamentos e vazia de experiências –, atenuando ou impedindo os estímulos externos. Isso é um "desapego defensivo", ou resignação neurótica, e não uma virtude genuína.

Denominamos "desapego defensivo" o mecanismo de fuga da realidade, utilizado, de forma inconsciente ou não, por pessoas que possuem um constrangimento auto-imposto proveniente do medo de amar, ou mesmo de se perder na sede de amor por objetos, pessoas ou ideias e de serem absorvidas por enorme necessidade de dependência e submissão fora do próprio controle.

Esse "desapego de proteção" tem como base profunda um processo mental ativado tão logo o indivíduo perceba algo ou alguém que tenha grande significado para ele, e que, se o perdesse, seria muito doloroso. Ele adota uma atitude de contenção dos sentimentos e se isola com indiferença e desprezo diante do seu mundo sensível.

Declara-se desinteressado e frio, mantendo por postura íntima o seguinte pensamento: "Eu não me importo", quer dizer, "Não abro as portas do meu sentimento". (Aliás, a palavra "importar" vem do latim *importare* – "trazer para dentro" ou "trazer para si"). Assim, ele não se sentirá frustrado ou ameaçado pelos conflitos, porquanto supõe ter atingido um "real desapego", quando, na verdade, apenas utiliza uma desistência da expressão, do anseio, da vontade, da satisfação e da realização pessoal, ou seja, restringe e mutila a vida ativa.

Por outro lado, o "desapego saudável" é uma vivência que leva ao crescimento íntimo e a uma expansão da consciência, enquanto a experiência defensiva conduz a um bloqueio das sensações, fazendo com que as pessoas vivam numa aparente fuga social, exibindo atos e comportamentos fictícios, envolvidas que estão por uma atmosfera de falsa renúncia e altruísmo.

É considerada pelos Espíritos Superiores como "duplo egoísmo" a atitude de certos "*homens que vivem na reclusão absoluta para fugir ao contato do mundo*" [1].

Não podemos nos esconder atrás de valores sagrados para camuflar conflitos de caráter afetivo, sexual, profissional, cultural, religioso – isso é escapismo. Enfim, uma deserção da participação social é, na verdade, um fenômeno retardatário do amadurecimento psicológico. Esse tipo de desapego, que parece ter como motivo um imenso desprendimento por bens materiais ou pessoas, comprova, acima de tudo, ser apenas um desejo de fuga ou um receio proveniente do egoísmo.

Uma atitude auto-imposta por dúvidas e desconfiança, insegurança e temor, além de nos auto-agredir, nos afasta do caminho natural e nos desvia do dinamismo evolutivo da Vida Providencial. Não adianta "fecharmos as cortinas da janela da alma" a fim de levarmos uma vida de sonhos – repleta de pensamentos e vazia de experiências –, atenuando ou impedindo os estímulos externos. Isso é um "desapego defensivo", ou resignação neurótica, e não uma virtude genuína.

As criaturas do mundo estão cheias de fictícios desapegos que, na realidade, reduzem a visão da verdadeira espiritualidade, dificultando as muitas maneiras de despertar as potencialidades da alma.

Diz-se que um indivíduo "apegado" é indeciso e inerte, porque perdeu a conexão consigo mesmo; não sabe mais o que quer para si, não mais navega os mares nem desbrava os continentes de seu reino interior – desviou-se de sua rota existencial.

Disse Jesus: "Em verdade, em verdade, vos digo: Se o grão de trigo que cai na terra não morrer, permanecerá só; mas se morrer, produzirá muito fruto. Quem ama sua vida a perde e quem odeia a sua vida neste mundo guardá-la-á para a vida eterna." [2]

O entendimento das palavras do Mestre pode nos libertar do sofrimento a que nos arremessou o apego.

O "amar a vida" ou "odiar a vida" a que o Cristo se refere é, exatamente, o despertar ou a conscientização de que as coisas vêm e vão na nossa existência, e que é preciso adotar a prática do desapego em relação a elas. O apego é a memória da "dor" ou do "prazer" passado, que carregamos para o futuro. Atrás de cada sofrimento existe um apego.

"Se o grão de trigo que cai na terra não morrer, permanecerá só; mas se morrer, produzirá muito fruto". Eis a excelência da mensagem: tudo em nossa vida terrena é transitório, vai passar; vai mudar e ir além... Os "grãos de trigo" vão tomar uma nova feição – se transformarão num imenso trigal e, mais adiante, se converterão na prodigalidade do alimento generoso.

Apego é a não-aceitação da impermanência das coisas. Na Terra nada se perpetua, somente a alma é imortal.

[1] *Questão 770*

Que pensar dos homens que vivem na reclusão absoluta para fugir ao contato do mundo?

"Duplo egoísmo."

Mas se esse retiro tem por objetivo uma expiação, impondo-se uma privação penosa, não é ele meritório?

"Fazer mais de bem do que se faz de mal, é a melhor expiação. Evitando um mal ele cai em outro, visto que esquece a lei de amor e de caridade."

[2] *João, 12:24 e 25*

Desapego

A mente apegada a fatos, acontecimentos e pessoas é incapaz de perceber a sua essência. Aquele que está agarrado ao "ego" está vazio do "sagrado"; aquele que se liberta do "ego" descobre que sempre esteve repleto do "sagrado".

"Então disse Jesus aos seus discípulos: Se alguém quer vir após mim, negue-se a si mesmo, tome a sua cruz e siga-me. Pois aquele que quiser salvar a sua vida, vai perdê-la, mas o que perder a sua vida por causa de mim, vai encontrá-la. De fato, que aproveitará ao homem se ganhar o mundo inteiro mas arruinar a sua vida?" [1]

Quando alguém passa silenciosamente por um desfiladeiro, percebe o sussurrar de sons distintos que repercutem através dos ventos nas pedras e árvores – são manifestações dos "ecos da Natureza" daquele lugar. A criatura que interioriza e aquieta a mente, silenciando sua intimidade, faz com que seu reino interior assemelhe-se a um "sereno desfiladeiro", de onde surgem as mensagens inarticuladas da alma – são manifestações dos "ecos transcendentais" do Universo.

Nesse "estado interior", onde impera a quietude e a tranquilidade, o indivíduo tem um encontro consigo mesmo, com sua mais pura essência – o Espírito. Na presença da inquietação e dos inúmeros anseios, a mente apegada bloqueia a fonte sapiencial e polui a via de acesso pela qual se ausculta a Fonte da Excelsa Sabedoria.

As pessoas do mundo estão distraídas entre os eventos do passado e os do presente, plenas de desejos pessoais que turvam e contagiam sua visão cósmica; isso as impede de expandir e expressar, de forma espontânea e natural, sua religiosidade nata.

Uma vez "perdido" o Espírito, as pessoas, embora vivas, estão como mortas. "De fato, que aproveitará ao homem se ganhar o mundo inteiro mas arruinar a sua vida?"

"Pois aquele que quiser salvar a sua vida (apegar-se ao ego), vai perdê-la (perder de vista o Si-mesmo), mas o que perder a sua vida (desapegar-se do ego) por causa de mim, vai encontrá-la (integrar-se ao Si-mesmo)".

Devemos quebrar todos os grilhões e expulsar as mil vozes que enxameiam nossa casa mental. Assim, ficaremos limpos e desnudos, livres e despojados, libertos de tudo. Então, haverá naturalmente, nesse "desfiladeiro interno", o reverberar de algo essencial, antes oculto mas agora presente, em que se percebem com clara nitidez seus recursos infinitos e sua capacidade de despertar potenciais inatos.

Recolhemos da antiga sabedoria oriental este trecho que bem ilustra a nossa ideia sobre desapego e serenidade interior: "Quando o vento chega e oscila o bambu, o bambu não guarda o som depois que o vento passou. Quando os gansos atravessam o lago, o lago não conserva seus reflexos depois que eles se foram. Da mesma maneira, a mente das pessoas iluminadas está presente quando ocorrem os acontecimentos e se esvazia quando os acontecimentos terminam".

"(...) a doutrina da reencarnação (...) aumenta os deveres da fraternidade, visto que, entre os vizinhos ou entre os servidores, pode se encontrar um Espírito que esteve ligado a vós pelos laços consanguíneos." [2]

Quando temos algo querido ou pensamos ter a posse de alguém que muito amamos, sofremos ao nos separarmos dele. O ciúme é o resultado do apego (medo de perder). É preciso perceber a diferença entre o "amor real" e a "relação simbiótica", ou mesmo o "apego familiar". A realização espiritual não está em nos apegarmos egoisticamente aos entes queridos, e sim nos interagirmos fraternalmente uns com os outros.

"Se alguém quer vir após mim, negue-se a si mesmo, tome a sua cruz e siga-me." "Negar-se a si mesmo" é ultrapassar a transitoriedade do mundo visível e penetrar na essência oculta das criações e criaturas. É desapegar-se verdadeiramente e viver na integridade da vida; não querer perpetuar o "ego".

"Tomar a sua cruz" é reconhecer que este momento vai se desvanecer e não se perpetuará. É perceber os difíceis dilemas mentais pelos quais passamos, o que nos permitirá transitar íntegros na via de mão dupla por onde se movem, de um lado, a busca imediatista do "ego" e, do outro, a inspiração da infinita Sabedoria Divina.

O desapego nos leva a desenvolver um amplo senso de liberdade e de confiança em nós mesmos. Nosso calabouço reside em nossos mais íntimos atos e atitudes. Prendemo-nos nos grilhões de nossa própria criação mental, e fazemos o mesmo com aqueles que amamos.

A mente apegada a fatos, acontecimentos e pessoas é incapaz de perceber a sua essência. Aquele que está agarrado ao "ego" está vazio do "sagrado"; aquele que se liberta do "ego" descobre que sempre esteve repleto do "sagrado". A mente serena, tranquila e desapegada é a "porta estreita".

O indivíduo desapegado participa com a família e com toda a comunidade de um relacionamento saudável e espontâneo.

Não vive atado aos vínculos doentios da "ansiedade de separação", pois crê plenamente que a lei das vidas sucessivas não destrói os laços da afetividade, antes os estende a um número cada vez maior de pessoas e também por toda a humanidade.

[1] *Mateus, 16:24 a 26*

[2] *Questão 205*

Na opinião de certas pessoas, a doutrina da reencarnação parece destruir os laços de família fazendo-os remontar às existências anteriores.

"Ela os estende, mas não os destrói. A parentela, estando baseada sobre as afeições anteriores, os laços que unem os membros de uma família são menos precários. Ela aumenta os deveres da fraternidade, visto que, entre os vizinhos ou entre os servidores, pode se encontrar um Espírito que esteve ligado a vós pelos laços consanguíneos."

Sabedoria

Ter sabedoria consiste em possuir uma "leitura de mundo" voltada para o senso íntimo – capacidade de receber informações sobre as mudanças no meio (externo ou interno) e de a elas interagir, exprimindo atos e atitudes únicos e originais.

O sábio, por ter plena consciência da impossibilidade de possuir o conhecimento absoluto, reconhece com humildade as muitas coisas que ignora, não incorrendo na presunção de tudo saber ou conhecer. Aliás, o orgulho inibe a compreensão de tudo aquilo que se alcança com humildade.

A pessoa sábia não se opõe à ação da Natureza, mas entra em sintonia e atua juntamente com ela. "Todas as leis da Natureza são leis divinas, porque Deus é o Autor de todas as coisas." [1]

Quando desprezamos nossa fonte de sabedoria interior (propriedade inata de todos nós), rejeitamos parte importante de nossa realidade interna, porquanto as leis de Deus estão escritas na consciência.[2] A expressão *consciência*, aqui utilizada pelos Guias da Humanidade, tem a mesma significação de *Espírito*, pois, se as leis divinas estivessem simplesmente na área consciencial do ego – sensações, percepções, emoções e motivações –, não teríamos maiores dificuldades de compreendê-las ou aplicá-las. Ao ignorarmos o potencial em nossa intimidade, nosso campo de visão existencial fica obscuro e distorcido e não conseguimos nos firmar perante a existência.

O sábio tem plena certeza de que é soberano e escravo do

próprio destino; senhor supremo de seus atos e prisioneiro de seus efeitos compulsórios.

Os grandes educadores da humanidade são considerados homens de sabedoria. São eles que caminham à frente no tempo e no espaço, revelando-nos capacidades e habilidades ocultas, que sempre existiram dentro de nós. À custa de muito trabalho e enormes sacrifícios, os "pioneiros sapienciais" utilizavam como eixo principal de suas lições a importância do reino interior, ensinando-nos com notável propriedade que "o mundo a ser desvendado está no âmago da criatura", que o "divino está no humano", uma vez que tudo que há em nós é sagrado. Por essa razão, hoje entendemos perfeitamente as palavras de Jesus Cristo: "O Reino de Deus está no meio de vós"[3].

A partir disso, compreendemos que o modo de ensinar de todos os grandes mestres baseava-se fundamentalmente na educação como método de percepção e, ao mesmo tempo, de desenvolvimento dos talentos inatos – a vocação peculiar e espontânea existente dentro do próprio homem. O verbo educar vem do latim *educare* e significa "ação de lançar para fora, colocar à mostra, tirar de dentro".

Educar não é obrigar ou constranger alguém a aprender por meio de força ou pressão moral, mas exprimir e liberar a potencialidade do ser. Também não é imprimir, porém fazer brotar ou emergir os dons subjacentes. Menos ainda seria formar, impondo uma fôrma; ao contrário, seria desentranhar do mais fundo da criatura o seu próprio modo de ser.

A conquista da sabedoria proporciona aos homens flexibilidade suficiente para que não mantenham a mente fechada a novas informações e não vivam dentro de regras e padrões sociais rígidos.

Os sábios entendem que o bom senso, unido a uma consciência reflexiva voltada para o "conhecimento original", deve anteceder a toda decisão, opção ou solução.

Eles não deixam que instruções, classificações e análises acumuladas no decurso dos tempos sufoquem a "sabedoria primitiva" contida na própria alma. A propósito, as regras injustas da sociedade e as religiões fundamentalistas, presas a modelos rigorosos e a severos padrões de pensamento, funcionam como autênticos entraves à sabedoria interior.

Os sábios aprenderam que, muitas vezes, os "procedimentos e hábitos" de uma época repercutem de tal forma sobre as pessoas, que elas passam a vê-los, primeiramente, como "normas ou regras sociais"; depois, ao longo dos séculos, como "valores e condutas morais", chegando, por fim, ao ponto de considerá-los como "leis ou ordens divinas".

O Criador não estabeleceu leis que, em outras épocas, Ele próprio teria proibido. Seria bom lembrarmos que as concepções e ideias sofrem interferência dos fatores tempo e espaço. As pessoas diferem em seus conceitos sobre os costumes – modo de pensar e agir característico de indivíduo, grupo social, povo, nação –, porque eles são constantemente reavaliados e renovados através do tempo e das sociedades humanas.

"*Deus não pode se enganar. Os homens é que são obrigados a mudar suas leis, porque são imperfeitas. As leis de Deus são perfeitas. A harmonia que rege o universo material e o universo moral está fundada sobre as leis que Deus estabeleceu para toda a eternidade.*" [4]

As leis elitistas são transitórias porque foram criadas pelo prestígio de um grupo social ou pelo domínio de um povo ou nação em determinada época. Todavia, são constantes e imutáveis "*as leis que Deus estabeleceu para toda a eternidade*".

Ter sabedoria consiste em possuir uma "leitura de mundo" voltada para o senso íntimo – capacidade de receber informações sobre as mudanças no meio (externo ou interno) e de a elas interagir, exprimindo atos e atitudes únicos e originais.

Cada indivíduo possui um canal sapiencial que pode entrar em sintonia com a fonte abundante da sabedoria universal. O sábio tem a capacidade de se autogovernar, uma vez que, ao penetrar na essência das coisas, analisa-as e sintetiza-as sem prejulgamentos, utilizando somente a própria coerência e a autenticidade provenientes de seu reino interior.

[1] Questão 617 de "O Livro dos Espíritos"

[2] Questão 621 de "O Livro dos Espíritos"

[3] Lucas, 17:21

[4] Questão 616

Deus prescreveu aos homens, em uma época, o que lhes proibiu em outra?

"Deus não pode se enganar. Os homens é que são obrigados a mudar suas leis, porque são imperfeitas. As leis de Deus são perfeitas. A harmonia que rege o universo material e o universo moral está fundada sobre as leis que Deus estabeleceu para toda a eternidade."

Sabedoria

O saber implica a facilidade de elaborar ideias simples para explicar coisas aparentemente complexas, utilizando-se os recursos fecundos e inspirativos do universo interior.

Há séculos, os grandes pensadores e filósofos vêm-nos ensinando que o autoconhecimento é a base primordial para alcançarmos a verdadeira sabedoria. Mas, para saber realmente quem somos, precisamos mergulhar nas profundezas do ser e buscar a sabedoria existente em nosso mundo íntimo.

Se fomos criados por Deus e se Ele colocou em nós a sua marca – a ideia de Deus é inata no homem[1] –, ao nascermos, já trazemos como herança a marca divina. A onipresença do Criador abrange todo o Universo, manifestando-se em todas as suas criaturas e criações. Portanto, o passo fundamental para entrarmos em contato com o verdadeiro saber é tomarmos consciência de que *Deus está em nós*, somos deuses em potencial, conforme a expressão evangélica.

Ser sábio não se fundamenta apenas no grau de informação ou de conhecimento que temos sobre a vida terrena. Nem sempre indivíduos requintados e instruídos são portadores de senso íntimo bem desenvolvido ou de alto nível de discernimento. Não devemos confundir cultura ou instrução com sabedoria.

Muitas pessoas cultas não são sábias, apesar de ostentarem um ar de superioridade intelectual. Não distinguir instrução de sabedoria é como não diferenciar diamantes de contas de vidro. A Espiritualidade Superior nos estimula a manter contato profundo e significativo com nossa força interna, a fim de que possamos nos familiarizar com a "voz da consciência".

O saber implica a facilidade de elaborar ideias simples para explicar coisas aparentemente complexas, utilizando-se os recursos fecundos e inspirativos do universo interior.

O conhecimento do sábio provém do mundo silencioso. É no silêncio que a introspecção enlaça o santuário da sabedoria. Quem mais conhece menos alarde faz; quem pouco conhece faz muito estardalhaço.

Precisamos adquirir o hábito de dedicar algum tempo ao silêncio da meditação, uma vez que o "olho interior" nos proporciona inúmeras formas de percepção (nós próprios, o mundo, a Natureza e Deus); enfim, ver o fundo e não apenas a superfície das coisas.

A sabedoria está igualmente ligada à forma como notamos a sutileza do mecanismo cíclico que move o Universo. Nele, tudo obedece a um ritmo natural; a raiz de nossa evolução corporal/espiritual está fincada nas íntimas relações com a Natureza. Se nos observarmos mais atentamente, veremos que somos parte dela.

O fluxo da Vida faz com que tudo se realize num reciclar constante e periódico. Nos pequenos seres, ela repete, em menor escala, o magnífico e imensurável movimento cósmico.

Na Terra, como em toda a criação, tudo é submetido a movimentos alternados, desde as marés, as fases da lua, as interações entre os organismos dos ecossistemas, a diversidade dos fenômenos meteorológicos, os biorritmos humanos e outras tantas coisas.

Quando admitimos o conjunto das forças que movem e animam a evolução da vida, começamos a perceber o dinâmico e sábio processo da ritmicidade que existe dentro e fora de nós. O desenvolvimento evolutivo nos mostra que tudo se encadeia harmonicamente.

Na questão 540 de *O Livro dos Espíritos*, obra básica do Espiritismo, encontramos a seguinte exposição: "*(...) É assim que tudo serve, tudo se coordena na Natureza, desde o átomo primitivo até o arcanjo que, ele mesmo, começou pelo átomo. Admirável lei de harmonia da qual vosso espírito limitado não pode ainda entender o conjunto.*" [2]

A ação do homem desprovido de sabedoria tende normalmente a modificar, de acordo com seus caprichos ou pontos de vista pessoais, a Natureza que o cerca. Desse modo, as atitudes dele resultam num desgaste inútil de suas forças físicas e intelectuais e numa agitação desnecessária sem qualquer possibilidade de atingir a meta pretendida. Ao contrário do homem sábio, que não se opõe à ação da Natureza, mas entra em sintonia com ela, realizando e atuando em seu favor.

A criatura humana intelectualizada desenvolve-se no sentido horizontal, enquanto a verdadeiramente sábia transcende no sentido vertical.

O sábio é aquele que desenvolveu a capacidade sapiencial de comparar, avaliar e ponderar as ideias com a precisão dos cientistas, com a generosidade dos benfeitores, com a sensibilidade dos poetas, com o bom senso dos filósofos, com a naturalidade das crianças e com o desprendimento dos que amam sem condições.

[1] *Questão 6 de "O Livro dos Espíritos"*

[2] *Questão 540*

Os Espíritos que exercem uma ação sobre os fenômenos da Natureza agem com conhecimento de causa, em virtude do seu livre-arbítrio ou por um impulso instintivo ou irrefletido?

"Alguns sim, outros não. Eu faço uma comparação: imagina essas miríades de animais que, pouco a pouco, fazem surgir do mar as ilhas e os arquipélagos; crês que nisso não há um fim providencial e que uma certa transformação da superfície do globo não seja necessária à harmonia geral? Esses não são mais que animais da última ordem que cumprem essas coisas para proverem suas necessidades e sem desconfiarem que são os instrumentos de Deus. Muito bem! Da mesma forma os Espíritos, os mais atrasados, são úteis ao conjunto. Enquanto ensaiam para a vida e antes de terem a plena consciência dos seus atos e seu livre-arbítrio, agem sobre certos fenômenos dos quais são agentes inconscientes; eles executam primeiro; mais tarde, quando sua inteligência estiver mais desenvolvida, comandarão e dirigirão as coisas do mundo material. Mais tarde, ainda, poderão dirigir as coisas do mundo moral. É assim que tudo serve, tudo se coordena na Natureza, desde o átomo primitivo até o arcanjo que, ele mesmo, começou pelo átomo. Admirável lei de harmonia da qual vosso espírito limitado não pode ainda entender o conjunto."

Paciência

Nossa impaciência desequilibra os processos internos e externos da Natureza em nós. Atos e atitudes pacienciosas podem mudar nosso modo de ver e enfrentar conflitos. Lembremo-nos de que todo problema contém em si mesmo a "semente da solução".

Tão logo nos permitimos pensar na Natureza como algo vivo e atuante em nós, começamos a perceber que nunca perdemos nosso "sentido de ligação" com o mundo natural. É como se emergisse de nosso interior uma "parte adormecida" que sempre soube disso; por conseguinte, começamos a religar a vida íntima com as forças criativas manifestadas em toda a evolução.

Nossa ligação com os processos vivos da Terra tem sido esquecida. A suposição da ciência moderna é de que nosso planeta tenha por volta de cinco bilhões de anos. Não existe, porém, nenhum vestígio que permita determinar, com alguma aproximação, a época em que foram lançadas as "sementes da vida", isto é, o aparecimento dos primeiros organismos vivos sobre o orbe terreno.

O que se sabe, de modo geral, é que o planeta passou por lentas e diversas transformações e que, provavelmente, a vida surgiu nas águas dos mares, que exerceram a função de "berço fecundo" para manter as primeiras formas vivas.

Esses minúsculos seres unicelulares se estruturaram nas condições reinantes na Terra primitiva, a partir de substâncias orgânicas preexistentes na atmosfera e na crosta terrestre. O acúmulo dessas substâncias ou moléculas durante milhões de anos converteu os ambientes marinhos numa verdadeira "sopa nutritiva". A partir daí e pela ação laboriosa dos Operários Celestes, teve início a vida na Terra.

No seio daquelas paisagens rudimentares, no interior das águas mornas dos oceanos primitivos, o princípio inteligente pôde iniciar suas primeiras manifestações sob o domínio e o controle da Onipotência Celeste.

A formação desse complexo "teatro da vida" se deu através de um longo e contínuo processo evolutivo, que nos permite hoje conhecer as mais diversas formas de seres vivos. É preciso, portanto, que adotemos o ritmo da Natureza, cujo segredo mais precioso é a paciência.

O ser humano é a própria Natureza adquirindo consciência de si mesma. Por possuir a capacidade de entender racionalmente esse grandioso "espetáculo da evolução", deveria ser o primeiro a perceber que sua perfeita estrutura orgânica resulta da paciente realização da Natureza.

A capacidade de persistir numa atividade com constância e perseverança é um dos atributos da Natureza. Precisamos aprender com ela a habilidade de equilibrar e realizar tarefas numa silenciosa quietude, pois a impetuosidade e a afobação que muitas vezes demonstramos podem destruir em minutos o que levamos anos para construir.

Suportemos com calma, tudo que acontece em nossa existência. Procuremos decifrar, aprender e refletir as mensagens enigmáticas que nos chegam através da linguagem da evolução natural. A Natureza não dá saltos – a borboleta não chegou ao que é sem antes ter sido lagarta.

No entanto, a paciência não é passividade, estagnação,

ociosidade ou paralisação. É antes um potencial a ser desenvolvido com serenidade, persistência e constância. Ela permite que possamos descobrir o momento certo de perseverar ou de abdicar de relações, situações, vínculos e atividades que envolvem o nosso dia a dia.

Os Espíritos Superiores possuem a necessária paciência de revelar certos ensinamentos na ocasião oportuna. Sabem que o processo de amadurecimento e crescimento humano é constante, mas gradual. Eles reconhecem que a cada coisa se deve dar o devido tempo, e que tudo que se diz de forma precipitada pode ser mal interpretado ou não entendido. Por isso, utilizam-se da "natureza evolutiva", levando em conta a condição de tempo, lugar ou modo que cerca e acompanha as pessoas, fatos ou acontecimentos.

Os Mentores da Codificação disseram a Allan Kardec que os Espíritos "*(...) ensinaram muitas coisas que os homens não compreenderam ou desnaturaram, mas que podem compreender atualmente(...)*" E justificaram: "*(...) Não ensinais às crianças o que ensinais aos adultos, e não dais para um recém-nascido um alimento que ele não possa digerir; cada coisa em seu tempo.*" [1]

Nossa impaciência desequilibra os processos internos e externos da Natureza em nós. Atos e atitudes pacienciosas podem mudar nosso modo de ver e enfrentar conflitos. Lembremo-nos de que todo problema contém em si mesmo a "semente da solução".

[1] *Questão 801*

Por que os Espíritos não ensinaram em todos os tempos o que ensinam hoje?

"Não ensinais às crianças o que ensinais aos adultos, e não dais para um recém-nascido um alimento que ele não possa digerir; cada coisa em seu tempo. Eles ensinaram muitas coisas que os homens não compreenderam ou desnaturaram, mas que podem compreender atualmente. Por seus ensinamentos, mesmo incompletos, prepararam o terreno para receber a semente que vai frutificar hoje."

[illegible] necessidade [illegible] es um potencial a ser desenvolvido com [illegible] e consciência. Ela permite
que [illegible] perseverar ou de
[illegible] que [illegible]
o nosso dia [illegible].

[illegible] Espíritos [illegible] necessária paciência de
revelar certos ensinamentos [illegible] oportuno. Sabem que o
processo de amadurecimento [illegible] e constante,
mas gradual. Eles reconhecem que [illegible] se deve dar o
[illegible] pode
[illegible] utilizam-se da
[illegible]
lugar ou modo [illegible] fatos ou
acontecimentos.

Os [illegible] Kardec que
os Espíritos "(...) [illegible]
[illegible]

[illegible] equilíbrio os processos [illegible] da Natureza [illegible] paciência [illegible] [illegible]

Paciência

O despertar da religiosidade proporciona a paz de espírito. Paciência é um estado de alma em que a criatura não é atingida pelas inquietações ou irritabilidades, visto que se libertou do desassossego e da agitação do ego.

Quem atingiu a essência do sagrado entendeu que a autêntica religião é, acima de tudo, uma "realidade interna", porque expressa as nossas mais íntimas relações com Deus.

O despertar da religiosidade proporciona a paz de espírito. Paciência é um estado de alma em que a criatura não é atingida pelas inquietações ou irritabilidades, visto que se libertou do desassossego e da agitação do ego.

Carl Gustav Jung desenvolveu uma teoria fascinante, uma análise notável que contribui efetivamente para aperfeiçoar o comportamento e pensamento humanos.

Desde a infância, ele foi influenciado de forma marcante por questões religiosas e espirituais porquanto seu pai e vários parentes eram pastores luteranos. Estudou e investigou profundamente a natureza humana, dedicando-se também à análise das filosofias orientais e da mitologia.

Jung é considerado um sábio instrutor; estudou medicina, mas jamais abandonou o compromisso de manter o interesse pelos fenômenos psíquicos e pelas ciências naturais e humanas. Foi um psiquiatra por excelência, um missionário que pesquisou os "distúrbios da personalidade", contribuindo para o entendimento dos diversos aspectos do comportamento humano e colaborando para o crescimento e enriquecimento das criaturas em sua trajetória de iluminação individual.

Dr. Carl Jung, como todo indivíduo que utiliza a lógica, a coerência e a razão, sentiu-se distanciado da devoção religiosa alicerçada no pietismo – afirmação da superioridade da fé sobre a razão. Afastou-se das experiências teológicas e das prescrições litúrgicas de seu pai e de outros parentes, que preconizavam a permanência incondicional pela letra da convenção[1] e foi em busca do Espírito de Deus como uma realidade viva[2].

A religião vai muito além dos limites do intelecto, no entanto não o refuta nem o contesta. A genuína religiosidade não se vincula a nenhuma organização externa; ela nos remete ao despertar íntimo, ao relacionamento com a própria alma.

Da mesma forma, Allan Kardec, como homem de ciência que era, educado em Yverdon, na Escola de Johann Heinrich Pestalozzi – célebre pedagogo suíço e discípulo de Jean-Jacques Rousseau –, asseverou: "(...) não há fé inquebrantável senão aquela que pode encarar a razão face a face em todas as épocas da Humanidade". "(...) para crer, não basta ver, é preciso, sobretudo, compreender. A fé cega não é mais deste século; ora, é precisamente o dogma da fé cega que faz hoje o maior número de incrédulos, porque quer se impor e exige a abdicação de uma das mais preciosas prerrogativas do homem: o raciocínio e o livre-arbítrio." [3]

Por isso, o Espiritismo "não tem a pretensão de ter a última palavra sobre todas as coisas, mesmo sobre aquelas que são da sua competência" [4].

Os Guias da Humanidade disseram a Kardec que "*(...) não há para o estudioso, nenhum sistema filosófico antigo, nenhuma tradição, nenhuma religião a negligenciar, porque tudo contém os germes de grandes verdades (...) graças à chave que nos dá o Espiritismo para uma multidão de coisas que puderam, até aqui, vos parecer sem razão e da qual, hoje, a realidade vos é demonstrada de maneira irrecusável.*" [5]

Para Jung, toda criatura traz uma aptidão para a autotransformação, o que ele chamou de **individuação**, e definiu-a como um processo de desenvolvimento pessoal em que a criatura se torna uma personalidade unificada, ou seja, um indivíduo, um ser humano indiviso e integrado.

A **individuação** está inteiramente voltada para o equilíbrio entre o **ego** (centro da consciência) e o **Self** (centro da psique) e para o aprimoramento e interação constante e criativa entre eles.

As criaturas ligadas excessivamente ao sistema ilusório do **ego** são afeitas a um zelo religioso obsessivo que pode levá-las aos extremos da intolerância. Possuem uma fé cega, o hábito de polemizar com exaltação, visto serem impacientes e inquietas. Exageradamente ajustadas a uma vida "impecável", denominam-se "pessoas de hábito". Estão presas a este padrão de pensamento: "Só eu sei como as coisas são ou devem ser feitas."

O fanatismo é filho dileto do **ego**; é uma adesão cega a uma ideia, sistema ou doutrina. Os fanáticos se irritam facilmente com tudo aquilo que possa ser contrário ao que eles consideram tradicional, imutável e verdadeiro, defendendo um *status quo* rigoroso quanto à política, à sociedade e à religião.

Religiosos intransigentes, são considerados pessoas dogmáticas. Exigem de si mesmos e dos outros uma vida puritana e de retidão extremada como forma de compensar suas dúvidas indecorosas e seus desejos reprimidos, que eles cultivam, de forma inconsciente ou não, no próprio mundo interior. Baseiam sua maneira de agir em teorias e estudos arcaicos e seguem modelos e padrões obsoletos. São observadores literais de leis consideradas como certas e indiscutíveis, e esperam que as pessoas as aceitem sem qualquer questionamento.

Os indivíduos que estão conectados com o **Self** vivem as necessidades do presente e respondem a elas através de uma análise criteriosa das pessoas, dos fatos e dos acontecimentos. Utilizam-se do exame paciencioso e da reflexão sapiencial da consciência para elaborar cogitações sobre a vida e sobre si mesmos.

Por estarem mais sintonizados com o **Self**, conquistaram a fé raciocinada e alicerçada na paz de espírito, na razão e na coerência.

Têm como forma de procedimento respeito aos direitos humanos – de liberdade de expressão, de individualidade, de ir e vir, de intelectualidade, de consciência; enfim, os direitos considerados inerentes ao homem como ser social, independentemente de raça, país, sexo, idade e religião.

São pensadores versáteis e originais; têm propósitos definidos – buscam alcançar pacienciosamente em seus estudos e reflexões uma síntese racional e lógica a respeito do físico e do espiritual, do real e do imaginário, do indivíduo e da sociedade.

[1] *II Coríntios, 3:6*

[2] *João, 4:24*

[3] *"O Evangelho Segundo o Espiritismo", capítulo XIX, item 7*

[4] *"A Gênese", capítulo XIII, item 8*

[5] *Questão 628*

Por que a verdade não foi sempre colocada ao alcance de todo mundo?

"É preciso que cada coisa venha a seu tempo. A verdade é como a luz: é preciso nos habituar a ela, pouco a pouco, de outra forma ela nos deslumbra.

Jamais ocorreu que Deus permitisse ao homem receber comunicações tão completas e tão instrutivas como as que lhe é dado receber hoje. Havia, como sabeis, na Antiguidade, alguns indivíduos possuidores do que consideravam uma ciência sacra, e da qual faziam mistério aos profanos, segundo eles. Deveis compreender, com o que conheceis das leis que regem esses fenômenos, que eles não recebiam senão algumas verdades esparsas no meio de um conjunto equívoco e a maior parte do tempo simbólico. Entretanto, não há para o estudioso, nenhum sistema filosófico antigo, nenhuma tradição, nenhuma religião a negligenciar, porque tudo contém os germes de grandes verdades que, ainda que pareçam contraditórias umas com as outras, esparsas que estão no meio de acessórios sem fundamentos, são muito fáceis de coordenar, graças à chave que nos dá o Espiritismo para uma multidão de coisas que puderam, até aqui, vos parecer sem razão e da qual, hoje, a realidade vos é demonstrada de maneira irrecusável. Não negligencieis, portanto, de haurir objetos de estudos nesses materiais; eles são muito ricos e podem contribuir poderosamente para a vossa instrução."

Afetividade

Amar não significa esperar que alguém nos satisfaça todos os anseios e necessidades que cabe só a nós satisfazer.

Das formas míticas poderemos retirar a sabedoria dos séculos, porquanto tais histórias promovem encontros com as figuras arquetípicas de nossa alma e com o caminho do desenvolvimento do amor. Da Antiga Grécia nasceu a ideia das metades eternas, que percorreu a vastidão dos tempos.

A mitologia greco-romana nos transmite, por meio de autores da Antiguidade, a seguinte história: "Em uma diferente civilização, os seres possuíam duas cabeças, quatro braços e pernas e dois corpos distintos – masculino e feminino – mas com apenas uma alma... Viviam em pleno amor e harmonia, e justamente esse equilíbrio provocou a inveja e a ira de alguns deuses do Olimpo. Enfurecidos, enviaram àquela civilização uma tormenta repleta de trovões e relâmpagos, que dividiram os corpos, separando a parte feminina da masculina e repartindo a alma ao meio... Diz a lenda que até hoje os seres lutam na busca de sua outra metade, a sua alma gêmea."

Durante séculos, essa crença foi cultivada, e grande parte da humanidade ainda procura ansiosamente encontrar sua "alma afim". No entanto, com a Nova Revelação, vêm os Espíritos superiores esclarecer-nos a respeito do conceito das metades eternas, ensinando-nos que essa expressão é inexata e que não existe união particular e fatal entre duas almas.

Explicam-nos os Benfeitores que não há alianças predestinadas, e sim que, quanto mais iluminadas as almas, mais unidas serão pelos laços do amor real. Em vista disso, podemos entender perfeitamente o significado das palavras de Jesus Cristo: "Haverá um só rebanho, um só pastor" [1].

Um dia todos estaremos juntos, reunidos e plenificados uns com os outros em "um só rebanho".

O Espiritismo vai mais além quando nos explica que a nossa mentalidade sobre as almas gêmeas é exclusivamente alicerçada sobre uma visão romântica de união afetiva; na realidade, antes de sermos homens ou mulheres, somos Espíritos imortais vivendo temporariamente na Terra. Muitos possuem uma compreensão difusa e narcisista sobre o amor, o que faz com que interpretem sua afetividade somente abaixo da cintura, isto é, não conseguem desenvolver seus sentimentos, abandonando-os a um permanente estado embrionário.

"*(...) não existe união particular e fatal entre duas almas. A união existe entre todos os Espíritos, mas em graus diferentes segundo a categoria que ocupam, quer dizer, segundo a perfeição que adquiriram: quanto mais perfeitos, mais unidos (...)*" [2]

Estamos vivenciando inúmeras experiências terrenas com as mais diversas criaturas; conhecendo e, ao mesmo tempo, estreitando elos afetivos com outras tantas através de várias encarnações. Então, por que alimentarmos a ideia da busca ilusória de uma pessoa predeterminada, com a qual fatalmente viveríamos felizes pela eternidade juntamente com os outros tantos milhares de pares eternos que já se teriam encontrado anteriormente? Tudo isso mais se assemelha a um egotismo do amor, contrário à fraternidade cristã, que nos ensina que um dia todos se amarão de forma incondicional.

Os aspectos do amor não podem ser vistos como se nosso "eu" seja o único referencial e que qualquer coisa que não se enquadre em nosso modo de ser seja rotulada de desamor ou de "não ser nossa metade eterna".

Enquanto estivermos pensando dessa maneira, não amaremos verdadeiramente; estaremos, sim, criando uma "idealização amorosa", na ânsia de que os outros jamais ousem discordar de nosso ponto de vista. Em outras palavras, se alguém divergir da nossa opinião, teremos a certeza de que não é nossa "alma gêmea" e, por consequência, nunca poderá nos proporcionar o amor real, o que será um grande equívoco.

Amar não significa esperar que alguém nos satisfaça todos os anseios e necessidades que cabe só a nós satisfazer.

[1] *João, 10:16*

[2] *Questão 298*

As almas que deverão se unir estão predestinadas a essa união, desde a sua origem e cada um de nós tem, em alguma parte do Universo, sua metade à qual se reunirá fatalmente, um dia?

"Não; não existe união particular e fatal entre duas almas. A união existe entre todos os Espíritos, mas em graus diferentes segundo a categoria que ocupam, quer dizer, segundo a perfeição que adquiriram: quanto mais perfeitos, mais unidos. Da discórdia nascem todos os males humanos; da concórdia resulta felicidade completa."

Afetividade

No futuro, a religião superior ou natural só será fundamentada na mais afetuosa fraternidade e professada individualmente pela criatura que superou o "ser religioso" e desenvolveu em si o "ser religiosidade".

A vida é um processo evolutivo e todos somos "seres caminhantes" nesse processo. Ainda nos falta longo trajeto a percorrer para atingirmos o desenvolvimento total de nossas potencialidades inatas. As Mãos Divinas nos criaram perfectíveis[1], isto é, fomos concebidos potencialmente perfeitos. Já estamos prontos, concluídos; a Vida Providencial apenas espera nosso despertar, ou seja, agora só nos resta sair do sono da inconsciência de nós mesmos.

Na maioria das vezes, por ser tão vasto o campo do potencial humano, direcionamos nossa visão somente às informações, aos conceitos e às ideias pessoais e particulares. Não vemos claramente os processos interligados que fazem parte de uma mesma rede de relações invisíveis que ocorrem em nossos mundos interno e externo.

É oportuno recordarmos trecho do discurso do chefe indígena norte-americano Seattle: "Tudo o que acontece com a Terra acontece com os filhos da Terra. O homem não tece a teia da vida; ele é apenas um fio. Tudo o que faz à teia ele faz a si mesmo".

Esse pequeno texto sintetiza os pilares do que podemos chamar de "ecologia divina". Todo e qualquer ser vivo tem seu valor intrínseco, sendo os seres humanos somente um dos fios da imensa série de elos da vida. Essa foi a mais exata e essencial definição de fraternidade – como devemos nos relacionar no mundo.

É preciso termos uma "visão holística" (do grego *holos*: todo) de tudo o que nos rodeia. "O Criador está em tudo e em todos", mas Ele não pode ser circunscrito a nada. Assim como a assinatura do artista está em sua obra, Deus, igualmente, está presente nas suas criações através de suas leis divinas ou naturais[2].

A fraternidade é o entrelaçamento sagrado entre as criaturas. Ela possui a condição de afetividade fecunda e frutífera; é a única e verdadeira forma de união humana.

Uma tomada de consciência dessa natureza exige de cada um de nós uma mudança radical quanto ao modo de encarar as criações e criaturas. Essa maneira de ver e perceber a existência produz uma profunda conscientização de religiosidade sobre a realidade de quem somos e de como vivemos.

Se nós, criaturas humanas, considerarmos que o Universo é uma imensa malha interligada e agirmos de conformidade com esse princípio, não estaremos fazendo nada mais do que reforçar e vivenciar a essência da palavra religião (do latim *religare*: ligar novamente). Aliás, o Cristo veio ao mundo para religar os homens a Deus, e Ele assim se referiu à autêntica religião do porvir: "(...) Deus é espírito e aqueles que o adoram devem adorá-lo em espírito e verdade." [3]

No futuro, a religião superior ou natural só será fundamentada na mais afetuosa fraternidade e professada individualmente pela criatura que superou o "ser religioso" e desenvolveu em si o "ser religiosidade".

O amadurecimento e o crescimento do indivíduo se fazem por meio da sucessão das existências corporais. Ela "*estabelece entre os Espíritos laços que remontam às existências anteriores. Daí, muitas vezes, decorrem as causas da simpatia entre vós e certos Espíritos que vos parecem estranhos*".

"*Uma vez que temos tido várias existências, a parentela remonta além da nossa existência atual*" [4] e, como resultado, cada vez mais aumenta a afetividade entre as criaturas, sedimentando nelas os laços da fraternidade.

O que é fraternidade? É ter afeto por todos, considerando-os como irmãos; é o nome que se dá ao sentimento que une irmão a irmão. Palavra oriunda do latim: *frater, tris* – "irmão pelo sangue ou por aliança". Fraternizar, na real acepção da palavra, não é apenas comungar das mesmas ideias, dos mesmos ideais ou convicções, mas acima de tudo, respeitá-los.

A convocação da nossa época é mais para "atos de fraternidade" do que para "atos de beneficência". Se os primeiros existirem, com certeza os segundos serão consequências naturais.

No "mundo ético", a busca é a do bem comum e da fraternidade. No "mundo moralista" não há afetividade de irmãos; a busca é por se enquadrar nas leis sociais, que possuem um manto fictício de direitos humanos, mas que, quase sempre, constituem regras ou normas partidárias, cruéis e desumanas. A humanidade atual é mais moralista do que ética.

Hoje, muitos indivíduos estão presos à "robotização dos costumes". São excessivamente ajustados aos "hábitos impensados"; até realizam atos de caridade – colocam em prática os ensinos de Jesus –, sem perceber, porém, qual é o verdadeiro significado do amor fraterno.

São criaturas que utilizam constantemente a palavra *fraternidade*, nomeando as pessoas de "queridos irmãos". Todavia, não possuem a convicção real de que, quando um ser humano chama o outro de *irmão*, é porque já validou em si mesmo um senso de valor segundo o qual o bem coletivo e o progresso da humanidade estão acima da religião que professa.

Os seres que desenvolveram uma afetividade fraternal aprenderam que a humanidade inteira faz parte de um todo interligado, regido por uma só lei, natural ou divina. No entanto, nada os impede de cooperar fraternalmente com toda e qualquer pessoa do planeta, pois têm plena compreensão da maneira pela qual as raças e os povos vivem e entendem a religiosidade. Sabem que há inúmeros meios de ver a realidade – nós próprios, as outras pessoas, o Universo, a vida e Deus. Por isso, aceitam de forma pacífica as diferenças.

Reconheceram que cada um de nós vê parte da verdade diante do Universo, e que todos nós temos uma "visão de mundo" proporcionalmente reduzida ao tamanho da nossa cegueira espiritual ou distorção da realidade.

Na ética ou na fraternidade, a vida social do planeta se transforma numa melodia executada por muitos instrumentos afinados na mesma tonalidade; todos vibram em conjunto, embora uma só música seja tocada.

[1] *Questão 776 de "O Livro dos Espíritos"*

[2] *Questão 621 de "O Livro dos Espíritos"*

[3] *João, 4:24*

[4] *Questão 204*

Uma vez que temos tido várias existências, a parentela remonta além da nossa existência atual?

"Não pode ser de outra forma. A sucessão das existências corporais estabelece entre os Espíritos laços que remontam às existências anteriores. Daí, muitas vezes, decorrem as causas da simpatia entre vós e certos Espíritos que vos parecem estranhos."

Afetividade

Tudo o que existe tem sua origem no amor – essência fundamental de todas as coisas que vivem sobre a Terra. A busca do amor é o principal anseio de todo ser humano.

A história da vida de cada criatura é um relato sobre seus antecedentes vivenciais; o conjunto de suas experiências pretéritas somadas às de sua existência atual. Quando um indivíduo conta sua história pessoal e única, estamos apenas ouvindo sua própria interpretação, filtrada por suas crenças, valores, argumentos, pressuposições, cultura, elementos de que ele se utiliza para nos apresentar seu modo de pensar e de ver o mundo.

Podemos contar muitos fatos e ocorrências sobre nós, dando maior importância a alguns aspectos e ignorando outros, ou mesmo selecionando diferentes atos e comportamentos que tivemos nas mais diversas ocasiões. Somos seletivos por natureza, e tudo o que falamos, pensamos ou fazemos tem certa relatividade quando comparado com outros momentos, situações ou fases evolutivas.

Cada um de nós possui uma individualidade original e exclusiva. Utilizando-nos de uma singela metáfora, podemos dizer: "Toda vez que Deus cria um Espírito, Ele quebra o molde".

A alma passa por um grande número de encarnações no curso dos séculos, sendo diversificadas suas experiências na área da afetividade. Como resultado disso, adquire um conjunto peculiar de conhecimentos, pelas inúmeras situações e ocorrências que vivenciou.

Não somos o que pensamos, somos o que sentimos. A busca do amor é o principal anseio de todo ser humano. Ele é legítimo e saudável, e nos incentiva ao despertar da inteligência e dos talentos inatos, a fim de criarmos, renovarmos e crescermos, quer no campo da religião, da filosofia, quer no campo da ciência, da arte e em outros tantos setores do conhecimento.

Tudo o que existe tem sua origem no amor – essência fundamental de todas as coisas que vivem sobre a Terra.

O ponto de partida das ações humanas é a alma – nosso mais profundo centro amoroso –, que transmite energeticamente a afetuosidade para nossos sentidos físicos periféricos, para o nível físico-sensitivo.

A aspiração do amor causa em inúmeros indivíduos uma sensação de inadequação ou medo; por esse motivo, eles a reprimem, de modo inconsciente ou voluntário. No entanto, apesar de tentarem recalcar ou "apagar" a emoção, eles nunca conseguirão silenciar por muito tempo o sentimento amoroso que flui da intimidade da própria alma.

Nosso grande equívoco é acreditar que o desejo de amar é motivo de fraqueza, vergonha, submissão ou domínio. Esse anseio, quando reprimido, acarreta consequências angustiantes e desastrosas, tanto na área física como na psicológica.

Os Espíritos não têm sexos "(...) como o entendeis, pois os sexos dependem do organismo. Entre eles há amor e simpatia baseados na identidade de sentimentos." [1]

A soma de todos os atos de nossa história de vida poderia ser resumida unicamente no fato de que não somos nem santos nem vilões, apenas criaturas em busca do amor. Por certo, poderíamos dizer que, apesar dos mais diversificados "pontos de vista" e "modelos de mundo" que possuímos, o desejo de amar ou a *"identidade de sentimentos"*, repetimos, é o mais sublime propósito de todo ser humano.

Usamos mecanismos de evasão: por exemplo, a robotização – serviços automáticos sem prazer ou criatividade –, para compensar nossa insatisfação no amor, trabalhando incessante e exaustivamente. Em outras ocasiões, aspiramos à completa aprovação alheia de tudo que fazemos ou acreditamos, para preencher a sensação de falta e incompletude que toma conta de nosso universo afetivo.

Queremos ser compreendidos a qualquer preço, parecer perfeitos, importantes, impressionar as pessoas. A máscara é a vontade de ser aceito plenamente por todos; em última análise, querer forçar as pessoas a nos aceitarem, custe o que custar. A atitude de compreender e de amar só é satisfatória quando sincera e espontânea.

A concepção junguiana de *sombra* representa o modelo de tudo aquilo que não admitimos ser e que nos esforçamos por ocultar e/ou valores inconscientes e qualidades em potencial esquecidas nas profundezas de nossa intimidade, os quais precisamos despertar dentro de nós .

Nesse sentido, disse Lucas: "*Pois nada há de oculto que não se torne manifesto, e nada em segredo que não seja conhecido e venha à luz do dia.*"[2]

Quando um indivíduo vai gradativamente tomando contato com os aspectos de sua sombra, ele se torna cada vez mais consciente de seus impulsos, emoções, sentimentos e atributos que ignorava ou negava em si mesmo. A partir daí, consegue perceber claramente nos outros os mesmos conteúdos inconscientes que não via ou não admitia em si mesmo. Afinal, pensa consigo mesmo: "Não me importo, todos somos iguais. Possuímos a mesma estrutura humana, só precisamos aprender a achar o equilíbrio, pois a virtude está no caminho do meio".

No amor ou afetividade está incluída a habilidade de ver e reconhecer a relatividade da vida em toda a sua validade e perfeito equilíbrio. *"Entre eles (os Espíritos) há amor e simpatia baseados na identidade de sentimentos"*.

A dignidade da pessoa humana não está fundamentada em "parecer amar", e sim em "amar verdadeiramente". O verniz encobre o mal, mas não o suprime; um sepulcro pintado de branco parecerá menos lúgubre, todavia continuará sendo um sepulcro.

O hipócrita dissimula ser o que não é, buscando no fingimento uma cobertura para continuar sendo aquilo que de fato quer parecer aos olhos do mundo.

No lugar em que o amor reina, não há imposição e repressão; onde a imposição e a repressão prevalecem, o amor está ausente. A autêntica afetividade está associada a uma ampliação de consciência e a um amadurecimento espiritual. Quem a possui aprende a ser caridoso, generoso, benevolente, deixando os outros livres não apenas para errar, para aprender, para discordar, mas também para amar, reconhecendo que as fragilidades que muitas vezes recriminamos nos outros podem ser as nossas amanhã.

[1] *Questão 200*

Os Espíritos têm sexos?

"Não como o entendeis, pois os sexos dependem do organismo. Entre eles há amor e simpatia baseados na identidade de sentimentos."

[2] *Lucas, 8:17*

Autoconhecimento

O autoconhecimento é a capacidade inata que nos permite perceber, de forma gradativa, tudo que necessitamos transformar. Ao mesmo tempo, amplia a consciência sobre nossos potenciais adormecidos, a fim de que possamos vir a ser aquilo que somos em essência.

O autoconhecimento nos dá a habilidade de saber como e onde agem nossos pontos frágeis e até a quem atribuímos nossas emoções e sentimentos, facilitando-nos compreender melhor os que nos rodeiam. Caminhar no processo do autoconhecimento significa desenvolver gradativamente o respeito aos nossos semelhantes, impedindo que façamos projeções triviais e levianas de nossas deficiências nos outros.

Apenas quando tivermos um considerável conhecimento de nós mesmos é que poderemos ajudar efetivamente alguém. Se desconhecemos nosso mundo interior, como poderemos transmitir segurança e determinação ou dar força aos outros? O autoconhecimento requer constante autorreflexão.

Muitos relacionamentos não dão certo porque as pessoas não olham para dentro de si mesmas, não percebendo, assim, seus pontos vulneráveis e suas limitações. Quando atenuamos ou amenizamos as críticas a nosso respeito e a respeito dos outros, estamos assimilando de forma verdadeira as lições que o autoconhecimento nos proporciona.

Não são os grandes conflitos que tornam nossas relações (de negócios, de amizade, de família, conjugais) malsucedidas, e sim um conjunto de "insignificantes diferenças", reunidas através de longo período de tempo. Cobranças, indelicadezas, petulância, insensibilidade, autoritarismo, desinteresse, impaciência, desrespeito – essas pequenas faltas no dia a dia podem destruir até mesmo as mais antigas e afetuosas convivências.

Embora não possamos perceber de forma clara e direta, lançamos na vida interpessoal pensamentos e emoções inaceitáveis. Eles formam nosso lado escuro – aquela área do inconsciente que governa e, ao mesmo tempo, dita as normas tanto nos confrontos desagradáveis como nos ímpetos de deboches e gracejos em nossos inúmeros relacionamentos.

Descobrimos o quanto nosso "eu oculto" está em plena atividade quando rimos exageradamente de uma pessoa que escorrega na rua, ou que se equivoca diante de uma palavra, ou mesmo quando ela sofre algum tipo de comparação sarcástica com ponto "censurado" do seu corpo.

Nossa "área sombria" é uma região inexplorada e indomada que atua de forma imperceptível em nossas ações e atitudes. Geralmente, é essa "área" que participa de nossas "supostas brincadeiras" e influencia com precisão o tipo de palavras engraçadas e picantes que deveremos usar nas piadas chulas, nas expressões maliciosas e zombeteiras.

A mensagem subliminar desse nosso "mundo oculto" aparece quando nos horrorizamos com o comportamento sexual das pessoas, recriminando e discriminando cruelmente raças, credos e grupos de "minoria".

Os demônios, na Idade Média, e igualmente as bruxas e hereges simbolizaram brutais projeções de nosso desconhecido "lado escuro". Suplícios e fogueiras, guilhotina e ferro em brasa são marcas que assinalaram a história da humanidade com os ferretes da nossa crueldade inconsciente. É surpreendente como nossas tendências desconhecidas sempre arrumam uma forma de se "dourarem" de princípios filosóficos, redentores ou salvacionistas.

O desconhecimento de nossa vida interior profunda nos conduz ao vale da incompreensão de nossos sentimentos para com nós mesmos e para com os outros. "(...) *os Espíritos foram criados simples e ignorantes (...) Se não houvesse montanhas, o homem não poderia compreender que se pode subir e descer, e se não houvesse rochedos, ele não compreenderia que há corpos duros. É preciso que o Espírito adquira experiência e, para isso, é preciso que ele conheça o bem e o mal* (...)." [1]

Projetamos nossa sombra quando "pegamos alguém para Judas" [2]; quando denegrimos e julgamos a sexualidade alheia sem nos dar conta dos próprios conflitos sexuais. Ela não somente se manifesta em um indivíduo, mas pode exprimir-se em um corpo social inteiro: nas perseguições raciais (nazismo, apartheid, Ku Klux Klan e outras tantas) e nas chamadas "guerras santas" ou "religiosas". Em outras circunstâncias, na repugnância e no ódio visivelmente explícitos e sem controle revelados por meio de palavras e gestos violentos; na aversão ou irritabilidade diante de certas reportagens publicadas pelos veículos de divulgação; nas atitudes de cinismo e nas mais corriqueiras situações e acontecimentos da vida social; e também nas projeções satíricas ou maliciosas em presença de pessoas consideradas "diferentes". Já é tempo de não mais apontarmos o "cisco" no olho alheio.

Lembremo-nos de Jesus Cristo, o Notável Terapeuta de nossas almas, ao analisar os conflitos que atormentavam os seres humanos por não admitirem os diversos aspectos da própria sombra: "Assume logo uma atitude conciliadora com o teu adversário, enquanto estás com ele no caminho, para não acontecer que o adversário te entregue ao juiz e o juiz ao oficial de justiça e, assim, sejas lançado na prisão."[3]

Nossos piores inimigos ou adversários estão dentro de nós, não fora. É imprescindível nos reconciliarmos com os opositores íntimos, ou seja, enxergarmos com bastante nitidez nosso "lado escuro", para atingirmos paz e tranquilidade de espírito.

Não somos necessariamente aquilo que parecemos ser. O autoconhecimento é a capacidade inata que nos permite perceber, de forma gradativa, tudo que necessitamos transformar. Ao mesmo tempo, amplia a consciência sobre nossos potenciais adormecidos, a fim de que possamos vir a ser aquilo que somos em essência.

[1] *Questão 634*

Por que o mal está na natureza das coisas? Eu falo do mal moral. Deus não poderia criar a Humanidade em melhores condições?

"Já te dissemos: os Espíritos foram criados simples e ignorantes (115). Deus deixa ao homem a escolha do caminho; tanto pior para ele, se toma o mau: sua peregrinação será mais longa. Se não houvesse montanhas, o homem não poderia compreender que se pode subir e descer, e se não houvesse rochedos, ele não compreenderia que há corpos duros. É preciso que o Espírito adquira experiência e, para isso, é preciso que ele conheça o bem e o mal. Por isso, há a união do Espírito e do corpo (119)."

[2] *Nota da Editora*

Expressão alusiva ao apóstolo Judas Iscariotes, aquele que traiu Jesus e que caiu na antipatia do povo. Até hoje, infelizmente, esse episódio é lembrado e o boneco que o representa é malhado e queimado no Sábado de Aleluia, em praça pública.

[3] *Mateus, 5:25*

Autoconhecimento

Só tememos o que desconhecemos. O autoconhecimento requer um constante exercício, no reino do pensamento reflexivo, sobre as sensações externas e internas. Viver uma vida sem reflexão é como escutar uma música sem melodia.

Aqueles que não conhecem a si mesmos dificilmente terão um bom relacionamento com os outros. O ser humano deve afastar de sua vida hábitos e crenças que o tornam inconsciente da própria vida íntima. Só tememos o que desconhecemos. O autoconhecimento requer um constante exercício, no reino do pensamento reflexivo, sobre as sensações externas e internas. Viver uma vida sem reflexão é como escutar uma música sem melodia.

Examinando o Novo Testamento com os olhos da psicologia, chegamos à conclusão de que Jesus Cristo foi uma criatura extraordinária e fascinante, um psicoterapeuta por excelência, além de significativamente moderno. As palavras, os atos e a vida do Mestre possuem, sob muitos aspectos, um significado oculto que é desvendado por todos aqueles que possuem "olhos de ver e ouvidos de ouvir".

Narra-nos o apóstolo Mateus: "(...) ele dirigiu-se a eles, caminhando sobre o mar. Os discípulos, porém, vendo que caminhava sobre o mar, ficaram atemorizados e diziam: É um fantasma! E gritaram de medo. Mas Jesus lhes disse logo: Tende confiança, sou eu, não tenhais medo. Pedro, interpelando-o, disse: Senhor, se és tu, manda que eu vá ao teu encontro sobre as águas. E Jesus respondeu: Vem." [1]

A água é a imagem da dinâmica da vida, das energias e dos conteúdos desconhecidos da alma, das motivações secretas e ignoradas. Ela é o simbolismo da "sombra" [2], da vida inconsciente, ou "além-mar" de nossa existência de Espíritos imortais. A água representa tudo aquilo que está contido imperceptivelmente na alma, e que o homem se esforça para trazer à superfície porque pressente que poderá alimentá-lo e sustentá-lo seguramente.

O Mestre pairava sobre as águas, ou seja, dominava o lado escuro da natureza humana. Ele entendia o medo e a insegurança em que viviam os homens – efeitos da sombra pessoal e coletiva – e os motivos da desunião ou segregação da maioria das pessoas e dos grupos sociais.

Renegamos ou não percebemos de forma lúcida essa área oculta e profundamente influente que existe em nossa intimidade. Por essa razão, projetamos nossa sombra "lá fora", nas qualidades ou nas atitudes desagradáveis dos outros. Quando sentimos grande admiração por uma criatura, ou quando reagimos intensamente contra alguém, isso talvez seja a manifestação de nossa sombra.

A negação da sombra faz com que abominemos as deficiências alheias, evitando vê-las em nós. Também atribuímos aos outros nossos potenciais não desenvolvidos, fazendo deles heróis ou gurus – nutrimos enigmáticas alianças ou paixões desmedidas.

A sombra surge sempre em nosso cotidiano; por exemplo, quando lançamos nossas emoções ocultas, nossa fragilidade, nossa insegurança e nossos medos em algo ou alguém.

"Diabo" – do grego *diábolos* e do latim *diabolus* – significa literalmente "o que separa", "o que desune". A "separação" é que nos impede de ver a unidade que há em nós e a unidade de todos nós, porquanto dificulta a percepção dos diferentes aspectos evolutivos em nossa intimidade. Ao aceitarmos nossos "opostos" (autoritarismo-subserviência, bajulação-desprezo, futilidade-desleixo, artimanha-credulidade, possessividade-insensibilidade), aprendemos o ponto de equilíbrio das polaridades – é admitindo os lados que chegamos ao meio-termo.

Ao aceitarmos a "unidade" ou o "caminho do meio", começamos a dar fim à nossa rivalidade com nós mesmos e com os outros. Ficamos a favor de nossa realidade, ao invés de hostilizá-la.

Nossa visão de mundo ainda depende dos lados positivo e negativo; da nossa ambivalência de seres humanos em evolução; em outras palavras, da coexistência de atitudes, tendências e sentimentos opostos inerentes à condição humana.

A qualidade mediadora para unir os opostos e que nos leva ao equilíbrio se chama amor. O amor une as pessoas e, ao mesmo tempo, as interliga com as outras criaturas.

Não podemos projetar nossas atitudes rudes, sombrias, insuportáveis e complicadas sobre entidades exteriores, como os "demônios". A característica básica daqueles que acreditam em seres criados especificamente para o mal é buscar constantemente um "bode expiatório" para tudo na vida. As criaturas que assim creem precisam, no fundo, negar seu lado fraco ou impulsos inaceitáveis, culpando o mundo pelo desequilíbrio que elas não veem em si mesmas. São consideradas caçadoras crônicas de bodes expiatórios e quase sempre escapam de suas responsabilidades, atos e consequências com uma projeção do tipo: "O diabo ou os maus espíritos me levaram a fazer ou falar isso."

O Espiritismo ensina que o desequilíbrio reside na intimidade de cada um de nós. Quando temos a coragem de ouvir os "demônios" interiores – que simbolizam alguns aspectos de nossa sombra, isto é, aquelas tendências em nós que mais tememos e das quais fugimos –, atingimos com mais facilidade a automelhoria. "*Se houvesse demônios, eles seriam obra de Deus, e Deus seria justo e bom se houvesse criado seres devotados eternamente ao mal e infelizes? Se há demônios, eles habitam em teu mundo inferior e em outros semelhantes. São esses homens hipócritas que fazem de um Deus justo um Deus mau e vingativo (...)*"[3].

"(...) ele dirigiu-se a eles, caminhando sobre o mar. Os discípulos, porém, vendo que caminhava sobre o mar, ficaram atemorizados (...)." O Mestre de Nazaré nos convida a andar sobre as águas, a não sentir medo de olhar para dentro de nós mesmos e de sondar as nossas profundezas. A sombra parece ser um "espectro horrível" que nos habita o íntimo; no entanto, ao trazermos nosso lado escuro à luz da consciência, veremos que se trata apenas de nós mesmos, "viajores do Universo", carentes de aprendizagem e conhecimento acerca da Inteligência Divina que se manifesta dentro e fora de nós.

[1] *Mateus, 14:25 a 29*

[2] *Nota da Editora*

Ver a definição de sombra no capítulo "Afetividade" (pág.57).

[3] *Questão 131*

Há demônios, no sentido que se dá a esta palavra?

"Se houvesse demônios, eles seriam obra de Deus, e Deus seria justo e bom se houvesse criado seres devotados eternamente ao mal e infelizes? Se há demônios, eles habitam em teu mundo inferior e em outros semelhantes. São esses homens hipócritas que fazem de um Deus justo um Deus mau e vingativo, e creem lhe serem agradáveis pelas abominações que cometem em seu nome."

***Nota** - A palavra **demônio** não implica a ideia de Espírito mau senão na sua significação moderna, porque a palavra grega* daimôn, *da qual se origina, significa **gênio**, **inteligência** e se emprega para designar os seres incorpóreos, bons ou maus, sem distinção. (...)*

Respeito

Somente optando pelo autorrespeito é que conseguiremos o respeito alheio. Encontraremos nos outros a mesma dignidade que damos a nós mesmos.

De que maneira as pessoas nos tratam? Sentimo-nos constantemente usados ou desrespeitados? Às vezes, permitimos que os outros nos tracem metas ou objetivos sem antes nos consultar? Sabemos distinguir quando estamos doando realmente ou quando estamos sendo explorados? Respeitamos nossos valores e direitos inatos? Costumamos representar papéis de vítimas ou de perfeitos?

A pior situação que podemos viver é passar toda uma existência sem nos dar o devido amor e respeito, fazendo coisas completamente diferentes do que sentimos.

Nossos sentimentos são parte importante de nossa vida. Se permitirmos que eles fluam em nós, então saberemos o que fazer e como nos conduzir diante das mais variadas situações do cotidiano.

Em virtude disso, não devemos nos esquecer de que, quando nos respeitamos plenamente, mostramos aos outros como eles devem nos tratar.

Se nós não nos aceitarmos, quem nos aceitará? Se nós não nos amarmos, quem nos amará?

Marcos relata em seu Evangelho a seguinte orientação:

"Pois ao que tem será dado, e ao que não tem, mesmo o que tem lhe será tirado." [1]

Realmente, "será dado" (respeito) ao que se respeita e não "ao que não tem ou pensa ter". Assim funciona tudo em nossa vida íntima – "temos o que damos". Devemos esperar dos outros a mesma dignidade que damos a nós mesmos.

Examinemos nossos sentimentos e atitudes e nos perguntemos: Por que permito que me tratem com desconsideração? O que estimula os outros a se comportarem com desprezo em relação à minha pessoa?

Se nós não nos autorresponsabilizamos pela forma como somos tratados, continuaremos impotentes para mudar o contexto penoso em que estamos vivendo. É muito cômodo culpar os outros por qualquer desilusão ou sofrimento que estejamos passando. Não é fácil aceitar a responsabilidade pelas nossas próprias ilusões e desenganos.

Quando renunciamos ao controle de nós mesmos, com toda a certeza outros indivíduos tomarão as rédeas de nossa vida.

Somos iguais perante os olhos da Divindade. "*(...) todos tendem ao mesmo fim e Deus fez suas leis para todos. Dizeis frequentemente: o sol brilha para todos. Com isso dizeis uma verdade maior e mais geral do que pensais.*" [2]

Realmente "*o sol brilha para todos*", pois "*(...) Deus não deu, a nenhum homem, superioridade natural, nem pelo nascimento, nem pela morte (...).*"

Não somos nem melhores nem piores que ninguém. Ao recusarmos o respeito a nós mesmos, estamos abdicando do direito de exigi-lo. Sem senso de valor individual, nos sentiremos diminuídos diante do mundo e destituídos da habilidade de dar e de receber amor.

O mais valioso tesouro que possuímos é a dignidade pessoal. Não é lícito sacrificá-la por nada ou por ninguém. Quando autorizamos os outros a determinar o quanto valemos, uma sensação de vazio nos toma conta da alma.

O autodesrespeito é um grande desserviço a nós mesmos. Quando ele se instala em nossa casa mental, passamos a não mais prestar atenção aos avisos e intuições que brotam espontaneamente do reino interior. As vozes de inspiração divina são sempre ideias claras, providas de síntese e simplicidade, que a Vida Providencial murmura no imo de nossa alma.

Quando nos respeitamos, somos livres para sentir, agir, ir, dizer, pensar e saber o que autodeterminamos, confiantes em que, se estivermos prontos, no tempo exato o Poder Superior do Universo nos dará todo o suprimento, todo o apoio e toda a orientação para cumprirmos o sublime plano que Ele nos reservou.

Somente optando pelo autorrespeito é que conseguiremos o respeito alheio. Encontraremos nos outros a mesma dignidade que damos a nós mesmos.

[1] *Marcos, 4:25*

[2] *Questão 803*

Todos os homens são iguais diante de Deus?

"Sim, todos tendem ao mesmo fim e Deus fez suas leis para todos. Dizeis frequentemente: O sol brilha para todos. Com isso dizeis uma verdade maior e mais geral do que pensais."

Nota *- Todos os homens serão submetidos às mesmas leis da Natureza. Todos nascem com a mesma fraqueza, estão sujeitos às mesmas dores e o corpo do rico se destrói como o do pobre. Portanto, Deus não deu, a nenhum homem, superioridade natural, nem pelo nascimento, nem pela morte. Diante dele, todos são iguais.*

Respeito

Num futuro breve, quando a mulher se legitimar pelo que é e por onde quer chegar, adquirirá o respeito – dos outros e de si mesma.

À medida que a criança cresce e se desenvolve no convívio familiar, ela reproduz ou copia tudo o que vê, ouve e observa. Os adultos servem de padrões, quer dizer, são modelos e exemplos. Por meio da identificação com os pais, tios, avós ou irmãos mais velhos, ou mesmo da imitação de seus atos e atitudes, a criança, de forma consciente ou inconsciente, modela-se firmemente no ambiente doméstico.

Socialização é o processo de adaptação do indivíduo ao grupo social; é o desenvolvimento das relações na vida grupal, caracterizado pelo espírito de coletividade e pelo sentimento de cooperação e solidariedade.

Particularmente na criança, a socialização se inicia a partir do momento em que o recém-nascido é conduzido para casa pelos pais. No entanto, não devemos esquecer que, desde a sua concepção, a alma, já ligada ao diminuto embrião humano, sofre forte influência do ambiente em que vive.

De acordo com Jean Piaget, cada criança, na fase da "socialização doméstica", assimila e modela tudo o que a sensibiliza de acordo com sua individualidade – utilizando sua personalidade única e peculiar, o que irá distingui-la de todas as outras pessoas. Acontecimentos caseiros, atos e opiniões dos adultos, considerações sobre ética, religião, costumes, moral e filosofia, proibições e preconceitos, permissões e intolerâncias, tudo vai-se modelando na "argila plástica", que é a mentalidade infantil, e delineando a criança dentro de preceitos, regras de conduta e de princípios que variam culturalmente, de família para família, e interiormente, de criança para criança. Mesmo nos gêmeos idênticos, o desenvolvimento psicossocial ocorrerá de forma diferenciada devido à bagagem espiritual que cada alma traz consigo – produto de suas vidas sucessivas.

Consulta Kardec a Espiritualidade Maior, na terceira parte, capítulo IX, de *O Livro dos Espíritos*: "*De onde se origina a inferioridade moral da mulher em certos países?*" E os Obreiros do Bem respondem: "*Do império injusto e cruel que o homem tomou sobre ela. É um resultado das instituições sociais e do abuso da força sobre a fraqueza. Entre os homens pouco avançados, do ponto de vista moral, a força faz o direito.*" [1]

A formação machista que as crianças recebem na infância as influencia durante toda a vida. Homens são treinados para ser fortes, corajosos, agressivos, seguros, bem-sucedidos e autossuficentes. Para os estudiosos do comportamento humano, o "estereótipo do macho" iniciou-se nas eras pré-históricas, quando os nossos antepassados do sexo masculino tiveram que abandonar o medo e disputar a comida com os animais.

Machismo é um conjunto de normas, costumes, leis e atitudes baseado em regras socioculturais do homem, que tem por finalidade explícita e/ou implícita criar e manter a submissão da mulher em todos os níveis: afetivo, sexual, procriativo, profissional.

Quando a mulher, nos seus mais diversos relacionamentos,

romper com essa visão de que deve ser submissa, reclusa, frágil e dependente do homem, ela recuperará toda a estrutura de poder e o senso de iniciativa.

A "guerra dos sexos", na maioria das vezes, tenta impor, com ou sem armas, a supremacia do homem sobre a mulher por meio da violência, clara ou dissimulada, salvaguardando interesses falocratas de mentalidades medievais.

O machista atua como tal, sem poder explicar seus atos ou perceber suas atitudes externas, porque não se dá conta das estruturas preconceituosas que internalizou nesta ou em outras existências. Ele se limita apenas a reproduzir ou pôr em prática tudo aquilo que viveu culturalmente no lar, na escola, no templo religioso, na cidade, no país, enfim em qualquer lugar ou situação que o tenha influenciado.

Muitas mulheres, de forma inconsciente, compartilham do machismo na medida em que não notam as estruturas psicológicas de "hegemonia masculina" que regulam suas relações afetivas e sociais. E podem reproduzi-las, sem perceber, na educação dos filhos, sejam eles homens ou mulheres, contribuindo dessa forma para que a ideia machista se perpetue automaticamente.

São muitos os provérbios humilhantes e os insultos irônicos endereçados às mulheres, estes acompanhados de risos sarcásticos e depreciativos. O "sexismo" – atitude de discriminação fundamentada no sexo – leva mulheres ingênuas, inseguras e dependentes a aceitar essas críticas mordazes como naturais, porquanto o modelo de educação em que organizaram seu mundo íntimo baseou-se nesses valores e crenças distorcidos.

A mulher precisa descobrir que não depende de ninguém para viver a própria existência, pois tem dentro de si uma extraordinária capacidade de fazer mudanças positivas. Ela, como o homem, tem um mundo diante de si, e todos podem crescer até onde permite sua capacidade, seu dom, seu talento nato. Todos nós estamos em constante mutação e nos transformamos todo o tempo nos aspectos físico, mental, emocional e espiritual. Nada na Natureza permanece estático; tudo flui através dos processos da vida, dentro e em torno de nós.

Em muitas ocasiões, a mulher, em vez de reverter a situação desgostosa em que vive, tenta mudar de forma superficial, apenas substituindo o cônjuge por outro, mas sem renovar seu modo de sentir, pensar e agir. Como não se preocupa em erradicar os velhos padrões ou crenças inadequados de seu mundo interior, corre o risco de atrair outro parceiro igual ou muito parecido com o que acaba de deixar. A lei de atração perpetua tanto alegria como tristeza para nossas vidas.

Não devemos jamais deixar que uma empresa, associação ou ligação afetiva, profissional ou de amizade, venha eclipsar nossa vida a ponto de desrespeitarmos quem somos.

Neste novo milênio, cabe à mulher recuperar sua dignidade e o respeito por si mesma. Descobrir, verdadeiramente, que o respeito anda de mãos dadas com a autoestima e o bem-estar. Deve iniciar o processo – que muitas já o fizeram – de valorizar suas forças individuais e únicas, usando a energia interior para descobrir capacidades inatas e novos talentos adormecidos.

Constituições modernas já estabeleceram, há muito tempo, leis e direitos que firmam a igualdade entre os sexos. No entanto, essas leis e direitos só terão valor e significado quando forem totalmente assimilados e colocados em prática por todos aqueles que os validaram.

É possível que determinadas pessoas discordem e não aceitem nossas ponderações, mas nem por isso tudo está perdido. A diversidade de opinião e a forma de olhar o mundo dependem da singularidade evolutiva de cada criatura.

O equilíbrio vai sendo pouco a pouco atingido. A visão machista gradativamente se desfaz, nascendo em seu lugar a amizade, o respeito e a cooperação entre seres humanos. Na estrutura social do porvir, pouco importará o sexo do indivíduo, pois todos serão igualmente valorizados e jamais oprimidos.

Num futuro breve, quando a mulher se legitimar pelo que é e por onde quer chegar, adquirirá o respeito – dos outros e de si mesma. Acreditar que alguém exista só para nos servir é uma visão egocêntrica e degradante da atual humanidade. Enquadrar pessoas em papéis sexuais nitidamente definidos – subserviência, inferioridade, subordinação –, usando-as como objetos que podem ser controlados e descartados, é imensamente cruel e impiedoso. O amor cristão não considera os papéis sexuais, e sim encoraja todos os seres a exprimir a liberdade, o respeito e o amor uns pelos outros.

[1] *Questão 818*

De onde se origina a inferioridade moral da mulher em certos países?

"Do império injusto e cruel que o homem tomou sobre ela. É um resultado das instituições sociais e do abuso da força sobre a fraqueza. Entre os homens pouco avançados, do ponto de vista moral, a força faz o direito."

Liberdade

A liberdade, como todas as demais conquistas da alma, só será alcançada verdadeiramente se for compartilhada com os outros.

François Marie Arouet, dito Voltaire, poeta e escritor francês do século XVIII, escreveu: "O prazer pela liberdade aumenta à medida que dela se desfruta". O Criador, que nos concedeu a vida, deu-nos ao mesmo tempo a liberdade. O que levou Paulo de Tarso a proclamar: "É para a liberdade que Cristo nos libertou. Permanecei firmes, portanto, e não vos deixeis prender de novo ao jugo da escravidão" [1].

A rigidez mental é uma das formas mais corriqueiras de atrair o sofrimento. Mudança é um mecanismo espiritual através do qual Deus assegura a evolução. Quem não evolui fica paralisado, desenvolvendo um verdadeiro entorpecimento interior.

Para transformarmos a vida para melhor, temos que começar a nos mudar por dentro. E, para tanto, precisamos inicialmente desfazer os diversos conceitos equivocados que nos foram transmitidos de forma não-intencional pelos nossos pais, avós, amigos, professores, ou até mesmo pela literatura de diversas correntes de pensamento – científico, filosófico e religioso. Talvez estejamos tão rijos intimamente que sentiremos dificuldade em dar os primeiros passos rumo à liberdade, mas, com determinação e com o passar do tempo, tomaremos consciência cada vez mais de como é agradável e realizadora a mudança interior; aí tudo se tornará mais fácil.

Quando nos desfazemos das crenças inadequadas, morre em nós tudo aquilo que é velho, e passamos a reformular ou remodelar novos caminhos, dinamizando a casa mental e ampliando o universo pessoal.

Quer aceitemos ou não, o mundo está progredindo. A Natureza está em constante evolução, por isso temos necessidade de fazer uma constante auto-observação dos nossos valores, ideias e crenças.

Existem muitas pessoas que dizem: "Meus pais sempre pensaram e agiram dessa forma, portanto eu também penso e ajo igualmente". Outros afirmam: "Minha família sempre abraçou esses conceitos; ora, por que eu haveria de trocá-los?"

É óbvio que nós não estamos aqui querendo induzir as criaturas a desprezar as memórias, os ensinos ou as experiências familiares, mas é preciso que entendamos que o mundo progride e, em decorrência disso, muitas coisas se modificam em nossa existência. Queiramos ou não, a mudança gera sempre um desafio existencial.

Mesmo que optemos por ficar estagnados à margem da estrada, isso de nada nos adianta, porque a vida está em constante movimentação, nos impulsionando de maneira natural e invariável. Ainda que não vejamos o avanço e o desenvolvimento fluírem no momento presente, estaremos todos marchando sob o influxo da divina lei do progresso.

Kardec, o sistematizador dos ensinos espíritas, questiona as Entidades Benevolentes: "*Não há homens que entravam o progresso de boa-fé, crendo favorecê-lo porque o veem do seu ponto de vista e, frequentemente, onde ele não está?*" E os Benfeitores, sob a direção do Espírito de Verdade, respondem: "*Pequena pedra colocada sob a roda de uma grande viatura e que não a impede de avançar.*"[2]

O professor Rivail comenta na questão 781 de *O Livro dos Espíritos* que: "*O progresso, sendo uma condição da natureza humana, não está ao alcance de ninguém a ele se opor. É uma* ***força viva*** *que as más leis podem retardar, mas não sufocar*".

Lutar contra o curso da evolução é como querer segurar com as mãos as ondas do mar. A paralisação existencial dificulta a liberdade e gera tristeza. A rotina produz angústia e depressão, por isso todos somos convidados a nos reformular emocionalmente e a procurar novos conhecimentos filosóficos, religiosos e científicos, para que possamos manter nosso equilíbrio existencial.

Será que o que nós temos como verdade é a verdade mesmo? Estamos nos sentindo bem? Estamos realmente animados e felizes? De repente podemos estar presos a determinados contextos e ainda não nos apercebemos de que precisamos modificar nosso modo de ver a vida. Necessitamos livrar-nos de hábitos antigos e indesejáveis, que são a causa principal do desconforto em que vivemos.

A lei do progresso é universal, mas age de forma individual em cada um de nós. Se alguns progridem mais rapidamente do que outros é porque estão desfrutando uma nova visão, estão desenvolvendo uma imagem positiva de si mesmos e das demais pessoas. Com isso, conseguem desatar as algemas que os deixam chumbados ao "solo da mesmice".

A vida é um processo maravilhosamente ilimitado; entretanto, ainda há – e não são poucos – os que enxergam a existência de forma afunilada, como se estivessem vivendo na época de Moisés ou na Idade Média. É preciso que nos ajustemos às descobertas da ciência, pois ela está inteiramente interligada com a religião. Tudo vem de Deus, inclusive o mundo científico.

Liberdade é um direito natural, faz parte de nossa herança divina, e, para crescermos, devemos usá-la sempre que necessário. Eis algumas perguntas que podemos fazer a nós mesmos para identificarmos nossas crenças e valores, positivos ou não, e como eles afetam a nossa vida diária:

• Qual o grau de influência da opinião alheia sobre meus atos e atitudes?

• Quais crenças cooperam para meu bem-estar interior?

• O que me dificulta ter suficiente autonomia para tomar minhas próprias decisões?

• O que me impede de desfrutar uma vida plena?

• Por que costumo fingir para agradar aos outros?

• Qual a razão de manter minha reputação alicerçada em um modelo exemplar?

• Meus conceitos facilitam autoconfiança?

Na realidade, o livre-arbítrio – liberdade de agir e de pensar – nos concede o poder de mudar nossas ideias, nossos modelos, concepções ou pensamentos, e de optar por crenças mais apropriadas ou favoráveis ao desenvolvimento de uma nova concepção do universo interior e exterior.

A liberdade, como todas as demais conquistas da alma, só será alcançada verdadeiramente se for compartilhada com os outros.

[1] *Gálatas, 5:1*

[2] *Questão 782*

Não há homens que entravam o progresso de boa-fé, crendo favorecê-lo porque o veem do seu ponto de vista e, frequentemente, onde ele não está?

"Pequena pedra colocada sob a roda de uma grande viatura e que não a impede de avançar."

Liberdade

Para estar em plena liberdade, precisamos nos soltar, fluir pelos ritmos da vida. Muitas vezes, é no "ato de perder" que encontramos a razão da própria existência.

A liberdade é, na ciência, a experimentação e o raciocínio; na filosofia, o bom senso e a sensatez; na religião, o discernimento e a naturalidade; na arte, a originalidade e a inspiração; na sociedade, a igualdade e a solidariedade.

O estado de liberdade da criatura é proporcional ao seu grau de amadurecimento espiritual.

O indivíduo liberto, mais que ideias ou ideais, escolhe os autênticos valores da alma, porque reconhece que estes orientam sua vida com lucidez, discernimento e ânimo. Possui uma excelente sociabilidade, produto de sua maturidade interior, manifestada na família, no trabalho, nos grupos de amizade e de atividade religiosa; enfim, em todos os setores de sua vida comunitária.

Considera e valoriza as orientações ou sugestões dos outros (cônjuges, pais, filhos, amigos, educadores, companheiros, etc.), porque acredita que eles podem iluminar suas opções existenciais, mas nem por isso perde a autonomia de agir e pensar livremente. Sempre pondera e nunca julga de modo precipitado as experiências alheias; antes as observa e as confronta com as suas e, por fim, as assimila ou as rechaça total ou parcialmente.

Quem é livre desfruta uma atmosfera fluídica que facilita um progressivo desenvolvimento espiritual.

Não se considera indefeso, mas sim companheiro de viagem de outros seres humanos, pois sabe que a qualquer momento poderá refazer as cláusulas do "contrato" de sua existência.

Allan Kardec indagou, em *O Livro dos Espíritos*: "*O homem tem o livre-arbítrio dos seus atos?*" [1]; e "*O homem goza do livre-arbítrio desde o seu nascimento?*" [2]. E os informantes da Vida Maior deram respectivamente os seguintes esclarecimentos: "*Visto que ele tem a liberdade de pensar, tem a de agir. Sem livre-arbítrio o homem seria uma máquina*"; e "*Há liberdade de agir desde que haja liberdade de fazer. Nos primeiros tempos da vida a liberdade é quase nula; ela se desenvolve e muda de objeto com as faculdades*".

Ao longo da História, a liberdade de expressão sempre foi e será a condição essencial encontrada na estrutura psicológica de todos os homens sábios e livres. Esses indivíduos aliaram o livre-arbítrio à reflexão, a fim de escolherem decisões, palavras ou atos que não ultrapassassem os seus direitos ou os dos outros.

Uma das maiores batalhas que temos que enfrentar é a de abrir mão da compulsão de estar constantemente desconfiando de tudo e de todos.

Para estar em plena liberdade, precisamos nos soltar, fluir pelos ritmos da vida. Muitas vezes, é no "ato de perder" que encontramos a razão da própria existência.

No exercício do livre-arbítrio, será sempre bem-vinda a legitimidade da inquirição ou indagação, pois a "dúvida saudável" mantém nossa casa mental na prática constante da atividade intelectual ativa e criativa, enquanto a "certeza absoluta" pode nos levar a atitudes atrevidas e insolentes.

A circunspecção – atitude de quem olha cuidadosamente

todos os aspectos por que se apresenta uma questão ou fato – deve vir sempre acompanhada de prudência e ponderação. Existe uma enorme diferença entre "circunspecção" e "receio incoerente"; entre "incredulidade patológica" e "suspeita lógica".

O verbo "suspeitar" provém do latim *suspectare*, que tem como variável *suspicere*, que significa "olhar o lado de baixo" ou "olhar por baixo". O que vive em suspeita, ao contrário do livre, não está olhando a realidade das coisas, mas supondo o que possa existir por detrás dos fatos, acontecimentos e atitudes das pessoas. O desconfiado compulsivo está sempre preocupado em não ser enganado ou roubado, enquanto o liberto sabe que nada nem ninguém podem extinguir ou se apropriar de suas conquistas pessoais.

Os indivíduos que alcançaram o estado de liberdade vivem no equilíbrio, porquanto não acreditam em tudo, nem desconfiam de tudo. Fazem parte do rol das criaturas centradas: diferenciam o que existe de real e verdadeiro, e não ficam imaginando males ilusórios ou sem fundamento.

[1] *Questão 843*

O homem tem o livre-arbítrio dos seus atos?

"Visto que ele tem a liberdade de pensar, tem a de agir. Sem livre-arbítrio o homem seria uma máquina."

[2] *Questão 844*

O homem goza do livre-arbítrio desde o seu nascimento?

"Há liberdade de agir desde que haja liberdade de fazer. Nos primeiros tempos da vida a liberdade é quase nula; ela se desenvolve e muda de objeto com as faculdades. A criança, tendo pensamentos relacionados com as necessidades de sua idade, aplica seu livre-arbítrio às coisas que lhe são necessárias."

Lucidez

Enquanto vivermos de forma mecânica, irrefletida e sem a intervenção consciente da lucidez e do discernimento, nos privaremos de possuir uma mente tranquila e um coração pacificado.

Como seguidores de Jesus Cristo, todos nós o buscamos como o Caminho, a Verdade e a Vida. Encontramos nele a palavra de sabedoria, a inspiração e a mensagem renovadora.

Por outro lado, podemos igualmente descobrir outras fontes de conhecimento extraordinárias, através de ensinamentos superiores transmitidos por homens notáveis e líderes espirituais – arautos do Cristo na Terra –, lições que maravilhosamente reforçam o ensino cristão, ao invés de enfraquecê-lo.

Se observarmos esses "luminares da fé", veremos que todos compartilhavam da mesma base ou convicção, cujas raízes estavam fundamentadas em Deus e nas leis divinas ou naturais. Eles – os cooperadores do Mestre de Nazaré – tornaram a mensagem cristã mais forte, mais robusta, mais sólida, com seus exemplos e lições de compaixão, trabalho interior, perseverança, perdão, paciência e paz.

Ao estudarmos as filosofias e religiões orientais, podemos nos certificar de que Buda jamais se declarou um deus ou um salvador, mas afirmava ser uma criatura que atingira a iluminação por meio da autorreflexão; ou um caminhante que encontrara o próprio caminho. Buda não induzia as pessoas a adorá-lo, mas a seguir suas experiências de vida e seus exercícios espirituais, a fim de que cada um encontrasse a própria iluminação. Ele indicava o caminho da autorrealização, todavia jamais se proclamou um caminho a ser seguido.

Na verdade, Buda receava que as pessoas pudessem vir a adorá-lo, porque sabia que é mais cômodo adorar algo ou alguém do que descobrir por si só a essência divina que existe no âmago da própria alma.

O termo Buda quer dizer "desperto ou iluminado". Seu nome de nascença era Sidarta (do clã Gautama e da tribo dos Sáquias); ele foi um príncipe cujo pai governou Kapilavastu, cidade do nordeste da Índia, próxima à fronteira do Nepal.

Sidarta Gautama dizia: "A pessoa sábia, que corre quando é hora de correr e que diminui o ritmo quando é hora de diminuir, é profundamente feliz, porque tem suas prioridades bem estabelecidas".

Somente quando estamos em contato com nosso momento atual é que vemos as coisas com lucidez; e, em virtude disso, nossas prioridades ficam bem estabelecidas. "Ter presença" é ser espectador do próprio estado íntimo naquilo que sente ou realiza. É possuir ao mesmo tempo uma visão clara tanto do mundo interior como do exterior.

Consulta Allan Kardec os Obreiros da Vida Maior: "*A visão dos Espíritos é circunscrita como nos seres corpóreos?" E eles respondem: "Não, ela reside neles.*" [1]

A visão dos Espíritos Superiores está estabelecida na sua intimidade, quer dizer, ela não está restrita a algum lugar, mas é uma lucidez que abrange toda a alma.

Quem vê e compreende claramente as coisas possui disposição, vontade, humor e coragem, pois não fica "arrebatado pelo futuro" nem "preso ao passado". Só quando estamos em contato com nós mesmos é que adquirimos perfeita visão de como diminuir ou aumentar o ritmo das coisas em nossa vida. Viver prazerosamente fundamenta-se em ver com clareza íntima como estão agindo em nós o **desejo** e o **apego**.

No desejo, **corremos ansiosamente** a fim de conquistar a qualquer preço o que não temos. No apego, **paralisamos o passo**, agarrando-nos a tudo aquilo que já possuímos.

Buda alerta que não devemos permitir que o julgamento dos outros determine quem somos e o que devemos sentir ou fazer. A propósito, não devemos deixar que o ponto de vista dos outros decida a hora de correr, desacelerar o passo ou parar completamente.

Se nós deixarmos que os elogios e as críticas das pessoas afetem nosso "senso íntimo", então seremos prisioneiros do juízo alheio e perderemos a alegria de viver.

Estar em contato com nós mesmos é estar ligado inteiramente na própria alma. Nosso mundo íntimo tem como atividade natural uma função denominada "mensageira", que nos traz, por meio dos sentimentos, os sinais que nos permitem proteger e dirigir a própria existência.

Precisamos perceber e valorizar nossos sentimentos e emoções, porque eles são o sal da nossa vida. Disse Jesus: "Vós sois o sal da terra. Ora, se o sal se tornar insosso, com que o salgaremos? Para nada mais serve, senão para ser lançado fora e pisado pelos homens." [2] "Tende sal em vós mesmos e vivei em paz uns com os outros." [3]

Diz-se popularmente que uma "criatura insossa" não tem graciosidade, é desinteressante e monótona; pudera, ela não age baseada nas suas sensações interiores. Só quando os nossos sentimentos são reconhecidos, observados e estudados claramente em suas manifestações físicas e espirituais é que gravita em torno de nós uma aura de autonomia e segurança; e, a partir daí, seremos respeitados e valorizados.

As emoções são as melhores informantes do nosso mundo interior e exterior; elas nos avisam, acima de tudo, sobre aquilo que devemos ou não fazer. É observando-as com atenção e submetendo-as ao nosso bom senso que saberemos como nos conduzir nas relações sociais, afetivas, profissionais e outras tantas.

O **desejo** e o **apego**, privados da consciência reflexiva, estreitam nossa visão de felicidade, descartando novas possibilidades de uma vida pacífica e alegre.

Enquanto vivermos de forma mecânica, irrefletida e sem a intervenção consciente da lucidez e do discernimento, nos privaremos de possuir uma mente tranquila e um coração pacificado.

[1] *Questão 245*

A visão dos Espíritos é circunscrita como nos seres corpóreos?

"Não, ela reside neles."

[2] *Mateus, 5:13*

[3] *Marcos, 9:50*

Lucidez

Quem possui lucidez não exalta o talento, nem evidencia a inabilidade; simplesmente analisa os fatos na sua totalidade, utilizando os "olhos da equanimidade", ou seja, do entendimento, da imparcialidade e da moderação.

Narra o Antigo Testamento que a divisão atingiu por inteiro a consciência dos dois primeiros seres humanos quando experimentaram o fruto da *Árvore do Conhecimento do Bem e do Mal* [1]. Eles viviam, segundo a narrativa bíblica, unos com toda a criação: não reconheciam ainda suas diferenças, não viviam na dualidade do certo e do errado, visto que permaneciam num estado de unidade consciencial.

As tradições religiosas hebraicas criaram uma enorme cisão entre a alma (o bem) e o corpo (o mal) quando registraram nos seus textos mitológicos a *Queda do Paraíso* – o homem abandona o Jardim do Éden (unidade universal) e peca, isto é, atinge a polaridade ou o poder da discriminação, o efeito de separar, segregar, pôr à parte.

No entanto, a igreja cristã primitiva reconhecia que toda criatura traz dentro de si aspectos positivos e negativos. Paulo de Tarso disse: "*Não faço o bem que eu quero, mas pratico o mal que não quero.*" [2]

Essas são palavras de uma criatura que possuía um excelente nível de lucidez mental. O Apóstolo dos Gentios procurava manter a sua integridade ou unidade, admitindo as faces desconhecidas de seu mundo interior. Sabia que não se iluminaria se não as aceitasse e suplicava fervorosamente ao Criador a orientação necessária sobre esses estados íntimos da alma.

Negar o lado escuro de nossa personalidade, ou não lhe dar importância, é subestimar a sutileza de seu poder atuante em nossos comportamentos e atitudes. É imprescindível admitir nossa face desconhecida, pois só podemos nos redimir ou transformar até onde conseguimos nos ver.

Utilizamos o mecanismo da repressão para nos desviar da nossa própria realidade; desprezamos o nosso lado frágil e nos distanciamos das verdadeiras intenções egoísticas que mobilizam nossas condutas diárias. Passamos, a partir daí, a construir uma auto-imagem de perfeição que nos torna "falsos realizadores do bem" ou "profissionais do altruísmo".

Por diversas vezes, educadores intolerantes nos incutiram pontos de vista alicerçados sobre um idealismo moralista, ignorando a unicidade do ser humano e as particularidades e complexidades das situações existenciais. Induziram-nos a negar, de forma determinante, todas as coisas que supostamente fossem contrárias à generosidade, mansuetude, candura e gentileza. Tudo que foi seccionado ou fragmentado em nossa intimidade passa a fazer parte de nossa **sombra**[3].

Nenhum processo de crescimento é possível até que a sombra seja adequadamente confrontada. Confrontá-la significa examiná-la com atenção e admiti-la plenamente. A denominação junguiana **sombra** refere-se às partes desconhecidas da personalidade que foram banidas da realidade, pois o homem não quer vê-las em si mesmo.

A melhor postura para nos renovarmos no bem e colaborarmos verdadeiramente com a transformação espiritual daqueles que nos rodeiam é lembrarmo-nos de nossa condição de almas em aprendizagem e permanecermos alicerçados na realidade daquilo que somos e podemos fazer, e não na ilusão do que deveríamos ser ou fazer.

Jesus Cristo nos convida a "amar os inimigos", e Jung, colaborando com os ensinos cristãos, nos conduz a uma reflexão profunda e lúcida a respeito desse tema. Ele nos solicita a perceber e, ao mesmo tempo, a amar os inimigos internos, o que pode não afastar os inimigos externos, mas pode melhorar e transformar nossos atos e atitudes para com eles.

É comum pensarmos existir somente a **sombra negativa** – aspectos inadequados da personalidade que negamos ou não aceitamos em nós. No entanto, há também a **sombra positiva** – tudo aquilo que desconhecemos sobre nossas conquistas, valores e potenciais inatos e que não somos ainda capazes de identificar ou desenvolver. Por exemplo: em muitas ocasiões, podemos encontrar na **sombra de um malfeitor** o seu lado humanitário completamente ignorado por ele; e na **sombra de um benfeitor** inúmeros aspectos negativos da mesma forma desconhecidos dele.

A **sombra** não é por si só desestruturadora; aliás, o que mais nos desorganiza psiquicamente é não vermos as coisas interiores e exteriores como um "conjunto" ou "todo" – os aspectos positivos e negativos que existem em tudo. Os Benfeitores Espirituais nos ensinam que o Espírito "*quanto menos puro ele for, mais sua visão é limitada; somente os Espíritos superiores podem ter visão de conjunto.*" Afirmam ainda que nas Almas Elevadas há "*uma espécie de lucidez universal que se estende a tudo, envolve, a uma só vez, o espaço, o tempo e as coisas e para a qual não há trevas nem obstáculos materiais.*" [4]

Essa "*lucidez universal*" a que eles se referem tem profunda relação com a integridade, pois equilibra o íntimo numa unicidade harmoniosa. Quem possui lucidez não exalta o talento, nem evidencia a inabilidade; simplesmente analisa os fatos na sua totalidade, utilizando os "olhos da equanimidade", ou seja, do entendimento, da imparcialidade e da moderação.

Integridade é inteireza, plenitude, estado ou característica daquele que reconhece a totalidade da vida dentro e fora de si mesmo, com toda a sua validade, equilíbrio e proporção harmoniosa.

A consciência lúcida acerca da **sombra** impulsiona a criatura a não mais buscar uma vítima: alguém ou alguma coisa para acusar e atacar. Não mais precisando ser impecavelmente correta e bondosa, não fará dos outros alvo de seus infortúnios. Apenas quando nossas fragilidades deixarem de ser demonizadas é que seremos levados a lidar com elas em termos de experiência evolutiva.

A lucidez dá integridade ao homem, mostrando-lhe que deve aceitar a si mesmo. Ao mesmo tempo, faculta-lhe uma visão clara que o impedirá de projetar seus pontos fracos nos outros, o que facilitará ampla compreensão dos que com ele convivem.

[1] *Gênesis, 2:9*

[2] *Romanos, 7:19*

[3] *Nota da Editora*

Ver a definição de sombra no capítulo "Afetividade" (pág.57).

[4] *Questão 247*

Os Espíritos têm necessidade de se transportarem para ver dois lugares diferentes? Podem, por exemplo, ver simultaneamente os dois hemisférios do globo?

"Como o Espírito se transporta com a rapidez do pensamento, pode-se dizer que vê tudo a uma só vez; seu pensamento pode irradiar e se dirigir, ao mesmo tempo, sobre vários pontos diferentes. Esta faculdade depende de sua pureza: quanto menos puro ele for, mais sua visão é limitada; somente os Espíritos superiores podem ter visão de conjunto."

***Nota** - A faculdade de ver, nos Espíritos, é uma propriedade inerente à sua natureza e que reside em todo o seu ser, como a luz reside em todas as partes de um corpo luminoso. É uma espécie de lucidez universal que se estende a tudo, envolve, a uma só vez, o espaço, o tempo e as coisas e para a qual não há trevas nem obstáculos materiais. Compreende-se que deve ser assim; no homem a visão se realiza através do funcionamento de um órgão impressionado pela luz, e sem luz ele fica na obscuridade. No Espírito a faculdade de ver sendo um atributo próprio, abstração feita de todo agente exterior, a visão é independente da luz.*

Naturalidade

Todos nós somos águas da mesma Fonte, mas corremos momentaneamente em leitos diferentes.

Infelizmente, a maioria de nós porta-se como um barco desgovernado, à mercê dos vendavais e dos rochedos, por não ter a âncora necessária quando os ventos sopram e as ondas se avolumam.

Não acreditamos estar nas mãos de Deus. Sentimo-nos isolados, fora do contexto universal. Não acreditamos que cada coisa permanece em seu devido lugar e que tudo tem um fim providencial. Não possuímos uma visão detalhada da sequência do desenvolvimento da vida sobre a Terra; vemos o mundo desconectado do todo, porque nossa percepção interior está desmembrada da Inteligência Cósmica.

No Universo, não há nada que esteja desvinculado da sabedoria das leis divinas ou naturais. Tudo que existe está de acordo com a Ordem Celestial, e cada um de nós faz parte de um plano específico de Deus.

Em tudo existe uma relação de coerência, uma conexão ou união; são texturas de uma única rede universal. Os fios dessa rede astral são tecidos e revigorados pela energia divina, que está em nós e em todos os lugares. Somos ainda impotentes para perceber todas as linhas invisíveis que tecem a nossa existência.

A ilusão de que vivemos separados afasta-nos da cosmovisão e nos transforma nos principais adversários da vitalidade do planeta. A separação e a fragmentação de tudo e de todos são crenças distorcidas que se disseminaram como "verdades" no seio da humanidade. Todos somos filhos da "Alma do Universo"; fazemos parte de um maravilhoso entrelaçamento divino.

"*Tudo é transição na Natureza, pelo fato mesmo de que nada é semelhante e que, todavia, tudo se liga. As plantas não pensam e, por conseguinte, não têm vontade. A ostra que se abre e todos os zoófitos não pensam: não têm senão um instinto cego e natural.*" [1]

Observemos a expressão acima – "*tudo se liga*"; ela nos dá exatamente a ideia do Uno que se revela – o Ser, nos seres; o Invisível, no visível; o Criador, nas criaturas.

Ninguém hoje ignora que o homem é um mamífero, nem que possui um parentesco milenar com a denominada "criação animal". Até um século atrás, seria uma imperdoável heresia incluir os seres humanos na teoria da evolução das espécies.

As semelhanças entre o homem e outros mamíferos tornam-se cada vez mais evidentes à medida que a ciência os estuda e os compara com diferentes espécies. A maioria dos intelectuais reconhece hoje que somos o resultado de uma secular cadeia evolutiva que também deu origem aos demais seres vivos – animais e vegetais.

Se bem que, na atualidade, muitas pessoas ainda creiam que a Terra foi criada em seis dias e que toda a flora e toda a fauna foram feitas por Deus, em benefício físico, entretenimento e deleite espiritual da espécie humana.

No mar, podemos reconhecer a imensa "pirâmide da vida", o fio místico ou o elemento misterioso que nos envolve amorosamente com tudo. Não estamos sozinhos! Debaixo da agitada e constante movimentação do oceano reina em suas profundezas uma serena tranquilidade. É possível dirigir-nos para lá, de forma silenciosa, usando nossa vontade e nosso pensamento, a fim de restabelecermos nosso "elo perdido" ou buscarmos a nossa tão almejada paz interior. Por meio desse constante exercício de reflexão ou meditação, abandonamos a turbulenta superfície do mundo exterior e reencontramos a "ligação" com a Natureza.

Os escritos místicos de todas as eras sempre nos alertaram de que a humanidade fracassaria se não compreendesse essa realidade – somos unos, somos todos irmãos. Todos nós somos águas da mesma Fonte, mas corremos momentaneamente em leitos diferentes.

De todas as criaturas da Natureza, o ser humano é o único que se questiona ininterruptamente sobre a própria identidade. De fato, pertence à humanidade – gerada há milênios na noite dos tempos – a destinação de reconhecer a si mesma, emergindo gradativamente da inconsciência em que se encontra para a elaboração da própria consciência. Dessa forma, o grandioso destino do homem é desvendar pouco a pouco a perfeição dos ciclos naturais dos quais ele faz parte, desenvolvendo seus dons intransferíveis e tornando-se cada vez mais consciente de que não está desligado da destinação de seus semelhantes. Todas as existências são interligadas, tendo como desígnio o progresso e o bem de todos nós.

[1] Questão 589

Certas plantas, tais como a sensitiva e a dionéia, por exemplo, têm movimentos que acusam uma grande sensibilidade e, em certos casos, uma espécie de vontade, como a última, cujos lóbulos apanham a mosca que vem pousar sobre ela para sugá-la, e à qual parece armar uma armadilha para em seguida matá-la. Essas plantas são dotadas da faculdade de pensar? Elas têm uma vontade e formam uma classe intermediária entre a natureza vegetal e a natureza animal? São uma transição de uma para outra?

"Tudo é transição na Natureza, pelo fato mesmo de que nada é semelhante e que, todavia, tudo se liga. As plantas não pensam e, por conseguinte, não têm vontade. A ostra que se abre e todos os zoófitos não pensam: não têm senão um instinto cego e natural."

Nota *- O organismo humano nos oferece exemplos de movimentos análogos sem a participação da vontade, como nas funções digestivas e circulatórias. O piloro se contrai ao contato de certos corpos para lhes negar passagem. Deve ser como na sensitiva, na qual os movimentos não implicam, de modo algum, na necessidade de uma percepção e ainda menos de uma vontade.*

Naturalidade

Por que será que habitualmente analisamos a conduta ética dos homens só pelo aspecto teológico e descartamos a fundamentação científica apoiada na Natureza?

Heráclito de Éfeso, um sábio filósofo grego, nos deixou uma máxima plena de significação: "Em rio não se pode entrar duas vezes no mesmo lugar". Assim considerando, diríamos que realmente não tocaremos duas vezes no mesmo rio não só por causa da dinâmica do curso das águas, mas também porque o veremos de forma diferente. Não somos hoje o que fomos ontem e nem seremos amanhã o que somos agora; transformamo-nos dinamicamente ao longo de etapas ou fases de aprimoramento espiritual.

A Natureza não faz nada em série. Toda pessoa possui uma tendência inata de ser ela mesma. O progresso da alma pode, em termos, ser comparado com o crescimento físico.

Quando observamos o corpo de uma criança, sabemos que tudo quanto ela precisa é do tempo certo para atingir seu completo desenvolvimento físico-emocional. Igualmente, quando encontramos outro ser humano numa fase qualquer de seu ciclo evolutivo, precisamos respeitar a sua naturalidade, uma vez que cada criatura está estagiando num determinado grau de aperfeiçoamento interior. Reportando-se à marcha do progresso, assim se manifestaram as Entidades Benevolentes: "*O homem se desenvolve, ele mesmo, naturalmente. Mas nem todos progridem ao mesmo tempo e da mesma forma; é então que os mais avançados ajudam o progresso dos outros, pelo contato social.*" [1]

Confundimos constantemente dois conceitos fundamentais da biologia – o natural e o normal. A definição de não natural, de natural, de normal, de anormal, de paranormal sofre significativas alterações através do tempo em cada povo ou nação. Se tomarmos por normal o indivíduo que esteja completamente isento de traumas, desajustamento emocional ou dificuldades íntimas, certamente não encontraremos criaturas normais.

Na verdade, o "normal" não existe, e quanto antes percebermos isso mais desfrutaremos e participaremos do mundo da naturalidade. Aliás, é importante lembrarmos que a mentalidade humana, ao longo do tempo, utiliza sua capacidade de reflexão: reestuda condutas, reelabora valores e altera conceitos, antes tidos como absolutos, para relativos. Lembremo-nos do que os Semeadores da Boa Nova responderam a Kardec: "*O homem se desenvolve, ele mesmo, naturalmente*". Não é necessário forçar a capacidade evolutiva do ser humano.

Durante séculos, o homem despende um imenso esforço na busca de alguma solução definitiva para entender a diferença comportamental das criaturas humanas, seja numa cadeia de cromossomos, numa pesquisa psicológica, numa análise de hipotálamo, seja num versículo da Bíblia.

Por que será que habitualmente analisamos a conduta ética dos homens só pelo aspecto teológico e descartamos a fundamentação científica apoiada na Natureza?

Nota-se que quase sempre os argumentos teológicos se

tornam difíceis à compreensão quando nos colocamos em países ou continentes cujos habitantes têm culturas e tradições diferentes das nossas e seguem outros sistemas filosóficos e religiosos.

Se examinássemos as populações do planeta com uma visão empática através dos princípios da Natureza – vê-las do ponto de vista delas mesmas –, com certeza entenderíamos melhor a diversidade das tendências, dos costumes sociais, dos atos e atitudes humanas. Não só nas religiões, mas igualmente na Natureza – a criação divina em ação –, deveríamos procurar as respostas para entender a desigualdade comportamental dos indivíduos.

Toda "noção de mundo" é provisória. Quando congelamos a concepção de algo ou de alguém, distorcemos a realidade. Nada é estático. A evolução é dinâmica.

O mundo atual busca uniformizar as pessoas sem perceber que a própria Natureza é contra a padronização, pois ela mesma procura preservar a harmonia da criação, mantendo as diversidades entre os seres vivos.

Somos também Natureza; todos temos características particulares. Embora existam em nós inúmeras habilidades comuns, a peculiaridade é um selo divino impresso na alma imortal. Querer ser igual a todos é uma forma muito estranha e contraditória de viver. Não podemos traduzir o interno pelo que vemos no externo.

Trazemos na intimidade uma singularidade só nossa. Todos somos diferentes, e o sucesso de uma vida plena é nos expressarmos diante do mundo usando nossa originalidade.

A Inteligência Cósmica nos dotou, desde a criação, de dons

e talentos necessários para darmos ao Universo a nossa cota de participação.

A maior tarefa que nos cabe na Terra é aceitarmos naturalmente a atual condição evolutiva e nos realizarmos manifestando a nossa verdadeira individualidade de filhos de Deus em processo de crescimento, designados a cumprir os planos divinos que Ele arquitetou para cada um de nós.

[1] *Questão 779*

O homem possui em si a força de progredir ou o progresso não é senão o produto de um ensinamento?

"O homem se desenvolve, ele mesmo, naturalmente. Mas nem todos progridem ao mesmo tempo e da mesma forma; é então que os mais avançados ajudam o progresso dos outros, pelo contato social."

Humildade

Os humildes aprenderam, com a introspecção, a fazer de si mesmos um "canal ou espaço transcendente", por onde flui silenciosamente a inteligência universal.

Buda não foi apenas uma figura histórica que viveu há 2.500 anos, mas uma criatura extraordinária que, a partir das próprias experiências, encontrou a iluminação e o despertar dos potenciais internos. Ele criou uma forma de pensar que oferece respostas práticas para as diversas situações vivenciais e, ao mesmo tempo, uma maneira de transcendê-las.

Buda foi um psicólogo nato, um instrutor singular para a solução dos problemas humanos, tanto pessoais como coletivos. Ele se considerava um curador de almas, cujo remédio era a clareza súbita na mente para avaliar ou solucionar com objetividade certos fatos ou acontecimentos existenciais – o *insight*, na linguagem atual.

Sidarta Gautama ensinava: "De que servem cabelo e manto impecáveis, ó tolo! Tudo dentro de ti está confuso e, no entanto, penteias a superfície!".

Na época de Jesus Cristo, os fariseus – elite religiosa judaica, que vivia na estrita observância das escrituras mosaicas e da tradição oral – e da mesma forma, no tempo de Buda, os brâmanes – sacerdotes que consolidaram sua hegemonia social juntamente com o sistema de castas –, tanto uns como outros foram acusados de formalistas e hipócritas. Eram reconhecidos por suas ricas e pomposas vestimentas e por não viverem de acordo com o que pregavam.

Todas as almas veneráveis da humanidade possuíam e possuem plena consciência de que falar de humildade não torna ninguém humilde. Realmente, a humildade nada tem a ver com a presença ou ausência de bens materiais, mas com a forma de comportamento íntimo.

Na atualidade, ainda se associa humildade com inferioridade, submissão e pobreza; no entanto, ela está relacionada com distinção, gentileza, lucidez, graciosidade e simplicidade. Entre todas as virtudes, somente a humildade não realça a si mesma, porque o verdadeiro humilde não acredita que o seja.

No texto citado, Buda se referia aos que se consideravam melhores, mais bonitos e superiores aos outros, advertindo-os de sua presunção e censurando-os pela fascinação da postura elegante, quando deveriam estar mais atentos a seu desenvolvimento e crescimento espiritual.

O humilde examina e pondera o orgulhoso porque um dia também o foi; o arrogante, porém, como ainda não conquistou a humildade, não sabe apreciar e valorizar a simplicidade. Aliás, só quem tem plena consciência do seu valor pessoal é que não precisa se exaltar; quem não a tem exibe, de maneira ousada e insolente, sua capacidade, poder, prestígio ou cultura.

Os indivíduos humildes realçam a simplicidade das coisas, dada a facilidade surpreendente de apreender e organizar os dados de uma situação. Eles penetram na essência das coisas, pois desenvolveram a habilidade de "fazer a mente silenciar". É no "silêncio mental" que os ciclos habituais ou condicionados das regras e normas preconceituosas cessam, que os padrões de pensamentos inadequados são interrompidos, para que haja a internalização da inteligência universal em nós.

Em algumas correntes do budismo, há uma equivocada interpretação do *nirvana*. Elas tomam como verdade a crença de que a meta espiritual do homem é alcançar um estado de completa quietude, que o levará à supressão do desejo e da consciência individual. Na realidade, o termo *nirvana*, quando entendido em sua significação mais profunda, deve ser traduzido como "a união definitiva da criatura com o Criador", nunca como sinônimo de estático silêncio interior, onde impera o "não-ser".

Os humildes aprenderam, com a introspecção, a fazer de si mesmos um "canal ou espaço transcendente", por onde flui silenciosamente a inteligência universal.

Quando o eminente educador Hippolyte Léon Denizard Rivail questiona os Espíritos Superiores: "*Qual é a fonte da inteligência?*", eles respondem: "*Já o dissemos: a inteligência universal.*" [1]

A inteligência universal é o instrumento pelo qual retomamos a conexão com a Causa Primeira. Ela não está confinada a nenhuma religião; ao contrário, é acessível a todos os seres, contudo só se deixa penetrar por aqueles que têm "simplicidade de coração e humildade de espírito" [2]. Por meio de seus recursos infinitos, recebemos as mais sublimes contribuições – psicológicas, filosóficas, artísticas, científicas, religiosas –, alargando a compreensão da vida dentro e fora de nós mesmos.

[1] *Questão 72*

Qual é a fonte da inteligência?

"Já o dissemos: a inteligência universal."

Poder-se-ia dizer que cada ser toma uma porção de inteligência da fonte universal e a assimila, como toma e assimila o princípio da vida material?

"Isto não é mais que uma comparação e que não é exata, porque a inteligência é uma faculdade própria de cada ser, e constitui sua individualidade moral. De resto, como sabeis, há coisas que não é dado ao homem penetrar e esta é desse número, no momento."

[2] *"O Evangelho Segundo o Espiritismo", capítulo VII, item 2*

Humildade

Vocação é uma "marca de nascença" que Deus nos faz em segredo e, um dia, sem nos darmos conta, ela se revelará simples e espontânea.

As criaturas, consideradas como Espíritos imortais, são portadoras de uma bagagem de inúmeras experiências adquiridas na vida presente, nas vidas passadas e no plano astral.

O despertar de seus potenciais não ocorre de forma abrupta, mas através de um longo período em que o Espírito, na sucessão de eventos no espaço e no tempo, se desenvolve por meio do processo evolutivo que transforma o átomo até o anjo, a pedra bruta até o ser integral.

Sendo assim, o Espírito traz consigo, conforme o progresso adquirido, o próprio jeito de sentir, agir e se comportar diante do mundo.

Ao retornarmos à escola terrestre, nos processos naturais da reencarnação, apresentaremos, em forma de talentos ou predisposições inatas, o resultado dos conhecimentos e das vivências adquiridas em tempos remotos – conjunto de valores organizados e interligados que operam como capacidades ou habilidades naturais. Essas "experiências armazenadas" em nosso âmago constituem as denominadas vocações – do latim *vocatio*, ação de chamar, intimação, convite. São impulsos internos, independentes da faculdade de raciocinar, ou seja, tendências espontâneas que orientam uma pessoa nas suas atividades interiores e, por consequência, nas exteriores.

Vocação é uma "marca de nascença" que Deus nos faz em segredo e, um dia, sem nos darmos conta, ela se revelará simples e espontânea.

"Pela especialidade das aptidões naturais, Deus indica evidentemente nossa vocação neste mundo. Muitos dos males decorrem do fato de não seguirmos essa vocação". "(...) frequentemente, são os pais que, por orgulho ou avareza, fazem seus filhos saírem do caminho traçado pela Natureza e, por esse deslocamento, comprometem sua felicidade (...)." [1]

Desde o instante do seu nascimento, a criança traz dentro de si uma "determinação superior" que alimenta seu desenvolvimento físico-psíquico-espiritual, independentemente dos obstáculos que se apresentarem em sua caminhada.

Com a colaboração, a aceitação e os estímulos dos pais no ambiente doméstico, ou com a ignorância, a opressão e a prepotência deles, a criança, mesmo assim, se desenvolverá gradativamente, ampliando e aperfeiçoando suas habilidades inatas, e progredirá de forma inexorável e contínua em direção ao objetivo certo. É a **força do progresso**[2] que existe na intimidade de cada um de nós.

A criança pode encontrar impedimentos no recinto familiar, sofrendo com o preconceito, a incompreensão, a rejeição, o perfeccionismo de pais inseguros e neurastênicos, que podem prejudicá-la e desviá-la momentaneamente de seu projeto de vida ou trajetória interna.

Com certeza, são as bagagens espirituais do passado, somadas ao ambiente da vida atual, que modelarão no presente a personalidade infantil. Dessa maneira, podemos afirmar que, em muitas ocasiões, as atitudes dos pais e de outros membros do grupo familiar ou social, ao agirem sobre a criança, acabarão por confundi-la e induzi-la a aceitar diferentes objetivos, a tomar atitudes contrárias a seu modo de sentir e pensar e a adotar ideias de ética, moral, religião e filosofia em desacordo com seu "senso interior".

É justamente no ambiente familiar que têm origem os chamados problemas infantis, que gerarão no futuro adultos vaidosos, desajustados ou neuróticos.

Os indivíduos que não se deixam levar pela inspiração de sua "diretriz inata" ou "eixo básico", e que se identificam com uma imagem construída com base nas expectativas dos outros e nos desejos, valores e atitudes de pais inflexíveis e dominadores, experimentam uma constante sensação de carência, de "falta de alguma coisa" ou de que "algo de fora precisa ser incorporado". Sentimentos crônicos de escassez e frustração os acompanham pela vida afora.

Uma criatura insatisfeita busca sempre o inatingível e tenta compensar com uma postura de "ser sempre vista ou admirada".

O grande problema da vaidade humana não é apenas a "preocupação com a aparência" ou a "paixão por aplauso"; acima de tudo, é a substituição da "orientação interna" – oriunda da própria alma – pela "orientação externa" – a preocupação egóica da busca de *status*, que leva a pessoa a tentar passar a imagem, por ela idealizada, de "ser extremamente importante".

A humildade é o contraposto da vaidade. O humilde demonstra "sociabilidade amistosa", "jovialidade espontânea" e "vivacidade singular", por possuir a habilidade de estar mais conectado com seu reino interior. Ao passo que o vaidoso troca seu "Eu" verdadeiro por uma identidade simbiótica com o mundo exterior (clubes ou associações recreativas, culturais, religiosas, artísticas, políticas e assim por diante).

Ser humilde é perceber que existe para cada um de nós um "plano vocacional" cuidadosamente traçado pela Vida Maior.

A maior dádiva do humilde é sua confiança na Organização Divina. Ele se norteia pelo seu "guia interior"; sabe que tudo está sob o controle harmonioso do Universo e, por isso, não teme entregar as "rédeas de sua existência" para a soberania das Mãos Celestes. De modo adverso, o vaidoso é impositivo, impetuoso e intransigente, não respeitando a determinação superior que há nas criaturas e nas criações. Ele se nutre de uma aura de infalibilidade e de uma tendência obstinada em fazer as coisas com perfeição.

A humildade não é tão-somente uma entre outras qualidades ou potencialidades humanas; é também aquela que salvaguarda todas as demais.

[1] *Questão 928*

Pela especialidade das aptidões naturais, Deus indica evidentemente nossa vocação neste mundo. Muitos dos males não decorrem do fato de não seguirmos essa vocação?

"É verdade, e, frequentemente, são os pais que, por orgulho ou avareza, fazem seus filhos saírem do caminho traçado pela Natureza e, por esse deslocamento, comprometem sua felicidade; eles disso serão responsáveis."

Assim, acharíeis justo que o filho de um homem altamente colocado no mundo fizesse tamancos, por exemplo, se para isso tinha aptidão?

"Não é preciso cair no absurdo, nem nada exagerar: a civilização tem suas necessidades. Por que o filho de um homem altamente colocado, como dizes, faria tamancos se pode fazer outra coisa? Ele poderá sempre se tornar útil na medida de suas faculdades, se elas não são aplicadas em sentido contrário. Assim, por exemplo, em lugar de um mau advogado, ele poderia, talvez, tornar-se um bom mecânico, etc."

Nota** - O deslocamento dos homens fora de sua esfera intelectual é, seguramente, uma das causas mais frequentes de decepção. A inaptidão pela carreira abraçada é uma fonte perene de reveses. Depois, o amor-próprio, vindo juntar-se a isso, impede o homem fracassado de procurar um recurso numa profissão mais humilde e lhe mostra o suicídio como remédio para escapar ao que ele crê uma humilhação.* ***Se uma educação moral o tivesse elevado acima dos tolos preconceitos do orgulho, ele não seria apanhado de surpresa.

[2] *Questão 779 de "O Livro dos Espíritos"*

Compaixão

Ter compaixão é possuir um entendimento maior das fragilidades humanas. É quando nos tornamos mais realistas, menos exigentes e mais flexíveis com as dificuldades alheias.

Compaixão – manifestação de um coração aberto.

"Há mais felicidade em dar que em receber."[1] De bem-aventurado vem a palavra beato – do latim *beatus*, que significa "feliz". Beatificar alguém é declará-lo na plenitude da felicidade; por isso é que chamamos comumente de venturosas as pessoas felizes.

Cristo usava com frequência essa forma literária em seus discursos: "Bem-aventurados são aqueles que...". Essas bem-aventuranças eram e são a fórmula que o Mestre Jesus recomendava para conquistar a verdadeira felicidade ou para alcançar uma vida plena.

Ter compaixão é possuir um entendimento maior das fragilidades humanas. É quando nos tornamos mais realistas, menos exigentes e mais flexíveis com as dificuldades alheias.

Se quisermos a paz do mundo, sejamos pessoas felizes. O bem-aventurado é um agente da paz, pois as criaturas maduras possuem uma compassiva "noção de vida". Por isso, afirmam os Espíritos Benevolentes: "*(...) aquele que vê claramente as coisas tem uma ideia mais justa do que o cego. Os Espíritos veem o que não vedes; eles julgam, pois, de outro modo que vós, mas, ainda uma vez, isto depende da sua elevação.*"[2]

Ao abrirmos o coração para alguém, vivenciamos uma forma de empatia – sentimos o que ele sentiria caso estivéssemos vivenciando a sua situação. Isso é uma questão de ressonância. Só podemos apoiar e cooperar se nossos estados interiores forem sensibilizados; apenas podemos compartilhar a alegria ou a tristeza de alguém se elas também nos tocarem. Se não nos permitimos sentir medo, amor, tristeza ou alegria, não podemos reagir a esses sentimentos diante das pessoas e podemos até duvidar de que elas os estejam experimentando.

Compaixão está associado a empatia. Perde o bom senso quem não estabelece limites nos bens que vai dar ou receber. Alguns de nós fazemos favores ou concedemos benefícios aos outros sem critério ou fundamentação alguma.

No entanto, empatia não é medir ou julgar alguém por nós. Não é nos colocarmos no lugar da criatura e ficarmos ilusoriamente imaginando seu sofrimento. Empatia é o contato direto do nosso coração com o coração de outro ser humano.

A ajuda verdadeiramente sapiencial é aquela que permite que as pessoas à nossa volta aprendam a se desenvolver, solucionando suas dificuldades por si mesmas.

O ser compassivo não invade a vida alheia. Os indivíduos só mudam quando estão prontos para mudar.

Algumas religiões podem distorcer nossa concepção de mundo, utilizando a culpa ou o fanatismo como forma de nos controlar ou de nos forçar a doar coisas. A viseira do emocionalismo pode nos levar à frustração e ao desapontamento. Podemos ser coagidos a conceder benefícios ou participar de doações materiais, usando uma forma distorcida de compaixão. Muitos de nós nos doamos porque esperamos receber em troca atenção e respeito de outras pessoas. Isso não é ajuda real nem mesmo está unido ao amor; mais se assemelha a uma forma de barganha, seguida de eternas cobranças.

Para que possamos cooperar efetivamente com alguém, é preciso abrirmos mão de nossa arrogância salvacionista, a de acreditar que a redenção das almas que amamos depende, única e exclusivamente, de nosso desempenho e de nossa dedicação. Cada pessoa é uma obra-prima de Deus e, quando subestimamos a força divina que há no outro, nossos relacionamentos ficam anêmicos e áridos. A compaixão salvaguarda a liberdade de sentir, pensar e agir.

Os bem-aventurados aos quais se referia Jesus são felizes porque reconheceram que não devem viver de forma ególatra; devem viver, sim, uma existência de auxílio a si mesmos e ao bem comum. Compaixão é o desenvolvimento do sentimento de fraternidade que move o ser fraterno a ter uma noção ética com vistas à integração e à solidariedade entre as pessoas.

[1] *Atos, 20:35*

[2] *Questão 241*

Os Espíritos têm do presente uma ideia mais precisa e mais justa que nós?

"Do mesmo modo que aquele que vê claramente as coisas tem uma ideia mais justa do que o cego. Os Espíritos veem o que não vedes; eles julgam, pois, de outro modo que vós, mas, ainda uma vez, isto depende da sua elevação."

Compaixão

Quanto mais compaixão tivermos pelos outros, mais nossa visão de mundo se expandirá. Toda criatura digna tem como característica comum a compaixão.

A compaixão não considera as vestes físicas. Encoraja homens e mulheres, adultos e crianças, europeus e asiáticos, a descobrir sua essência real, a reencontrar suas necessidades naturais e a expressar sua unicidade como seres humanos. A partir daí, todos se favorecem, não apenas por terem maior liberdade de agir e pensar, mas também por terem autonomia de modificar suas vidas, modificando sua mentalidade.

A compaixão e a sensibilidade são partes do amor cristão e ferramentas eficazes para entrarmos em contato com o que os outros sentem e escutá-los com atenção silenciosa. Só podemos expressar autêntica compaixão se utilizarmos uma atmosfera de aceitação e respeito pelas dificuldades alheias. Dessa maneira podemos penetrar e tocar o Espírito de outra pessoa.

Quanto mais compaixão tivermos pelos outros, mais nossa visão de mundo se expandirá. Toda criatura digna tem como característica comum a compaixão.

"*(...) Que os antigos tenham visto no Senhor do Universo um deus terrível, ciumento e vingativo, isso se concebe; na sua ignorância, emprestaram à divindade as paixões dos homens. Mas não está aí o Deus dos cristãos que coloca o amor, a caridade, a misericórdia, o esquecimento das ofensas no lugar das primeiras virtudes: poderia ele próprio faltar às qualidades das quais faz um dever? Não há contradição em atribuir-lhe a bondade infinita e a vingança infinita? Dizeis que antes de tudo ele é justo, e que o homem não compreende sua justiça, mas a justiça não exclui a bondade, e ele não seria bom se consagrasse penas horríveis, perpétuas, à maior parte das suas criaturas (...)*"[1].

Alguns dicionários oferecem as palavras *pena* e *dó* como vocábulos de significação semelhante ao termo *compaixão*. No entanto, há diferença considerável entre elas. A base do aspecto conceitual da pena e do dó tem profunda ligação com uma restrita forma de ver, ou seja, o sentimento do indivíduo estaria confinado a uma linha horizontal, enquanto a compaixão estaria vinculada a uma atuação vertical.

Se nos expressamos utilizando essa alegoria de linhas geométricas, é para bem elucidar os limites em que todos nós estamos circunscritos, em se tratando do campo do sentimento e da emoção.

Ter dó aprende-se socialmente; quando temos dó ou pena de alguém é porque acreditamos que essa criatura é impotente e inferior e que, sem a nossa ajuda, não será capaz de resolver sua problemática existencial. Em outras palavras, subentende-se: "sinto-me mais poderoso, importante, eficiente e superior em relação a ela".

Por outro lado, o sentimento de compaixão provém das profundezas da alma, envolve o sofredor em um clima de generosidade, utilizando como forma de ajuda a solidariedade. Na atitude compassiva, a criatura vê o necessitado de igual para igual, sem nenhuma distinção, e percebe que ele precisa de uma mão amiga naquele momento circunstancial e aflitivo de sua vida.

Ter compaixão é lembrar que a dor do outro poderia ser sua. É reconhecer o sofrimento do próximo e ajudá-lo a superar o momento difícil. A compaixão está intimamente ligada à ação.

O grande "pecado" que ocorre nos dias atuais entre os povos e raças e, da mesma forma, em todas as áreas dos relacionamentos humanos é a indiferença e a insensibilidade com a condição aflitiva dos seres humanos.

A insensibilidade é a mais vil transgressão das leis naturais, porque ela corrói e destrói o modo solidário de ser e viver, não só em família mas também em sociedade.

A alegoria evangélica que o Mestre Jesus fez das sementes que caíram ao longo do caminho, entre os espinhos e sobre pedregulhos, nos faz recordar os relacionamentos que não germinam, sufocados pela frieza e pela superficialidade que frequentemente existem entre os seres humanos. Um olhar atencioso e um abraço carinhoso curam mais do que inúmeras caixas de remédios – o amor expressado dissipa toda e qualquer enfermidade.

Através dos olhos da alma podemos identificar com maior nitidez as aflições e dores escondidas nos outros e, dessa forma, reconfortá-los ou acalentá-los com os braços da compaixão.

[1] *Questão 1009*

Segundo esse entendimento, as penas impostas não o seriam jamais pela eternidade?

"Interrogai vosso bom senso, vossa razão, perguntai-vos se uma condenação perpétua, por alguns momentos de erro, não seria a negação da bondade de Deus? Que é, com efeito, a duração da vida, fosse ela de cem anos, em relação à eternidade? Eternidade! Compreendeis bem essa palavra? Sofrimentos, torturas sem fim, sem esperança, por algumas faltas! Vosso julgamento não rejeita semelhante pensamento? Que os antigos tenham visto no Senhor do Universo um deus terrível, ciumento e vingativo, isso se concebe; na sua ignorância, emprestaram à divindade as paixões dos homens. Mas não está aí o Deus dos cristãos que coloca o amor, a caridade, a misericórdia, o esquecimento das ofensas no lugar das primeiras virtudes: poderia ele próprio faltar às qualidades das quais faz um dever? Não há contradição em atribuir-lhe a bondade infinita e a vingança infinita? Dizeis que antes de tudo ele é justo, e que o homem não compreende sua justiça, mas a justiça não exclui a bondade, e ele não seria bom se consagrasse penas horríveis, perpétuas, à maior parte das suas criaturas. Poderia fazer a seus filhos uma obrigação da justiça, se não lhes tivesse dado os meios de compreendê-la? Aliás, não é o sublime da justiça, unida à bondade, fazer depender a duração das penas dos esforços do culpado para se melhorar? Aí está a verdade desta palavra: 'A cada um segundo suas obras'." (Santo Agostinho)

Coragem

Não poderemos ser autênticos se não formos corajosos. Não poderemos ser originais se não lançarmos mão do destemor. Não poderemos amar se não corrermos riscos. Não poderemos pesquisar ou perceber a realidade se não fizermos uso da ousadia.

A palavra coragem vem da raiz latina *cor, cordis*, que significa coração (sede ou centro da alma, da inteligência e da sensibilidade). Portanto, ser corajoso significa agir utilizando um potencial que vem de dentro – a voz do coração.

Coragem não é arrogância ardilosa, determinação astuta ou agressividade. Ela é, na realidade, a certeza íntima que se demonstra na moderação dos atos e atitudes, na firmeza de caráter e no desempenho perseverante de uma atividade.

É necessário coragem para assumir as consequências de nossas ações e desacertos; para suportar a vontade de retrucar de acordo com as ofensas recebidas; para sentir e fazer as coisas que acreditamos serem certas para nós, ainda que o medo da rejeição e da discriminação nos ameace; para aprender a dizer "não", impedindo que passemos a vida inteira sendo usados ou explorados; para ver as coisas pelo lado bom, esperando sempre uma solução favorável; para não aceitar responsabilidades que não são nossas, mas de amigos ou parentes imprudentes que se omitem em executá-las.

A criatura realmente corajosa sabe que viver é correr riscos, é enfrentar o desconhecido. Ela solta o passado e deixa o futuro vir a ser. O futuro é uma semente de possibilidades, o passado ficou para trás; devemos deixá-lo passar. O presente nada mais é do que um deslocamento em direção ao futuro. A todo instante o presente está se tornando futuro e o passado indo embora.

Todos nós estamos constantemente enfrentando coisas ignoradas, desconhecidas. Correr riscos indica a probabilidade de insucesso em função de ocorrências que, muitas vezes, escapam de nossas mãos, pois não dependem exclusivamente de nosso empenho ou vontade.

"*O uso dos bens da terra é um direito para todos os homens* (...) *Esse direito é a consequência da necessidade de viver* (...)" [1].

Ao utilizarmos os "*bens da terra*" nos sentiremos temerosos e vacilantes diante dos riscos da vida, mas esses perigos são muito valiosos para que possamos amadurecer. Lembremo-nos de que errar faz parte do crescimento, pois é uma "*consequência da necessidade de viver*". Sempre que tomamos consciência de nossos erros, chegamos mais perto da verdade. Trata-se de uma busca ou descoberta pessoal; ninguém pode fazê-la por nós.

Os "*bens da terra*", aqui citados pelos Espíritos Amigos, também são os "bens éticos" – conjunto de princípios ou valores universais de uma sociedade referentes à vida, à dignidade das pessoas e ao aprimoramento de uma coletividade.

Ao lançarmos mão dos "bens éticos", podemos, de início, não saber usá-los convenientemente, mas necessitamos de coragem, autonomia e firmeza de espírito para vivenciá-los, e não buscar de modo desesperado o consenso ou aprovação das pessoas. É impossível passar pela vida sem incorrer em grandes doses de desaprovação. É o ônus que pagamos pelo fato de vivermos numa sociedade onde a diversidade de opiniões é uma das características mais marcantes das criaturas.

Os grandes missionários da história nos ensinam que não se pode agradar a todos e que precisamos ser livres das opiniões alheias.

Usar a própria alma como guia e não precisar do consentimento exterior é utilização correta da verdadeira coragem – postura psicológica que nos plenifica, em qualquer nível, nas pretendidas realizações pessoais.

Não poderemos ser autênticos se não formos corajosos. Não poderemos ser originais se não lançarmos mão do destemor. Não poderemos amar se não corrermos riscos. Não poderemos pesquisar ou perceber a realidade se não fizermos uso da ousadia. A coragem é uma qualidade interior que vem em primeiro lugar; tudo o mais acontece sucessivamente.

Um olhar cuidadoso na vida de Jesus irá revelar a criatura extremamente corajosa, que pregou a tenacidade diante de situações emocional ou moralmente difíceis e que não teve medo de enfrentar a desaprovação. No entanto, muitos dos seus seguidores distorceram seus ensinos, transformando-os no catecismo da culpa, do temor e da submissão.

O Mestre de Nazaré sempre se conduziu com base em sua consciência pessoal, em sua integração com a Divindade e nas leis naturais, e não porque alguém ditou a maneira que ele deveria pensar ou se comportar.

O Cristo de Deus era dirigido por razões interiores que, literalmente, nada tinham a ver com o fato de que alguém possa ter gostado ou não do que Ele tivesse dito ou feito. Sempre considerou os mandamentos de Moisés, porém sabia que tudo que é escrito e traduzido ao pé da letra, bem como tudo que é relatado de forma oral, quer dizer, passado de geração a geração, se reveste através dos séculos de uma atmosfera simbólica ou mítica.

"Não penseis que vim revogar a Lei e os Profetas. Não vim revogá-los, mas dar-lhes pleno cumprimento (...)." [2] A atitude de "dar cumprimento", aqui proclamada, estava recoberta de nobreza corajosa para a execução, realização e desenvolvimento de algo propício para a atualização do aperfeiçoamento moral da humanidade.

Jesus não receava correr riscos, porque seus valores não eram locais; em outras palavras, não eram analisados sob a luz de um enfoque particular e geográfico. O Mestre via a si mesmo como pertencente à vida universal; transcendia as fronteiras tradicionalistas – família, raça, cidade, estado ou país. Aliás, a coragem dos renovadores é geralmente rotulada, pela mediocridade ou incompreensão da humanidade, de rebeldia, desobediência e perturbação dos valores preestabelecidos ou convencionais.

[1] *Questão 711*

O uso dos bens da terra é um direito para todos os homens?

"Esse direito é a consequência da necessidade de viver. Deus não pode ter imposto um dever sem haver dado os meios de o satisfazer."

[2] *Mateus, 5:17*

Coragem

A autorreflexão ou a atitude de mantermos um constante intercâmbio com a "voz da alma", nos daria suficiente liberdade, segurança e coragem para nos guiar por nós mesmos. É bom lembrar que nos podem forçar a "ser escravos", mas não nos podem obrigar a "ser livres".

Coragem é uma importante capacidade da alma, porque dá consistência às demais, enaltecendo-as. Ela faz surgir a autoconfiança e concretiza efetivamente nossas aspirações e anseios. Muitos dons e talentos, no entanto, são comprometidos por falta de coragem.

A Espiritualidade Superior não nos quer submissos à vontade de outrem, nem inabilitados para tomar decisões, mas quer que nos apropriemos de nossos valores inatos, demonstrando determinação e firmeza diante da vida, porque isso teria como resultado natural o conforto físico, psíquico e espiritual.

O Mundo Maior nos incentiva a utilizar as próprias potencialidades a fim de que possamos descobrir a força e a coragem que existem em nossa intimidade. Ele nos convoca, principalmente, para trazer à tona a luz existente dentro de nós, e não para nos entregarmos a refúgios externos.

Nenhum fato ou acontecimento está além de nossa aptidão ou capacidade de lidar com eles. A vida nunca nos apresenta um problema sem que tenhamos a possibilidade de resolvê-lo.

A autoconfiança deve ser ensinada no berço, e a necessidade de aprovação não deveria ser confundida com a busca de afeto ou amor. Para estimular a autoconfiança e a coragem de tomar decisões num adulto, seria necessário que, desde cedo, as crianças não fossem educadas com grande dose de controle ou aprovação. Contudo, se uma criança cresce sentindo que não pode, em nenhuma circunstância, decidir e que, em nome dos "bons modos", ela precisa a todo momento pedir autorização dos pais para agir, são plantadas nela as "sementes neuróticas" de insegurança, medo e falta de confiança.

A busca de aprovação aqui mencionada não tem nada a ver com a atitude saudável dos pais de orientar e educar os filhos, e sim com a postura destrutiva de impor aos menores a necessidade de submeterem tudo à opinião e consentimento dos adultos.

Precisar da permissão de uma pessoa já causa frustração e infortúnio, mas o problema se agrava quando a necessidade do consentimento se torna genérica. Quem se comporta dessa maneira está condenado a encontrar uma grande dose de abatimento e desânimo diante da vida. Além disso, o indivíduo incorpora uma auto-imagem dissimulada ou irreal, erradicando de sua existência a possibilidade de realização pessoal.

A necessidade de autorização tem como gênese a seguinte estratégia psicológica: "de imediato nunca confie em si próprio; antes de qualquer coisa, confira suas ideias e pensamentos com os outros".

O conjunto de conhecimentos e valores da nossa cultura tradicional é do tipo que reforça nos indivíduos uma postura interna de busca de aprovação como um padrão de comportamento normal. A autonomia e a independência não são estimuladas; ao contrário, é consolidado o convencional.

A autorreflexão ou a atitude de mantermos um constante

intercâmbio com a "voz da alma", nos daria suficiente liberdade, segurança e coragem para nos guiar por nós mesmos. É bom lembrar que nos podem forçar a "ser escravos", mas não nos podem obrigar a "ser livres".

A mensagem do Poder Universal é sempre aquela que impulsiona o desenvolvimento de nossas potencialidades ou dons naturais. Despertar é saber que o único modo pelo qual podemos conhecer genuinamente qualquer coisa é examinando-a ou percebendo-a pessoalmente, isto é, usando as leis divinas que estão em nossa intimidade. "Não se poderá dizer: Ei-lo aqui! Ei-lo ali!, pois eis que o Reino de Deus está no meio de vós." [1]

Por isso, os Benfeitores Espirituais afirmam que: "*A sociedade poderia ser regida somente pelas leis naturais, sem o concurso das leis humanas (...) se os homens as compreendessem bem, e seriam suficientes se houvesse vontade de as praticar (...).*" [2]

As instituições que estruturam a nossa sociedade estabelecem na maioria dos indivíduos um modo de pensar em que impera como norma a concordância ou uniformidade de opiniões, sentimentos, ideias, crenças e pensamentos, sendo que essa postura psicológica age de forma implícita e silenciosa e, quase inconsciente, no cerne das coletividades.

Quanto mais elogio, aplauso e bajulação nos são necessários, mais estaremos nas mãos alheias. Se porventura, um dia, dermos qualquer passo na direção da independência, da auto-aprovação ou da coragem de decidir, esse caminhar não será bem visto por aqueles que nos controlam. Essas novas e saudáveis atitudes serão tachadas de egoístas, frias, desprezíveis, ingratas, num esforço para manter-nos na dependência de todos aqueles que, durante anos, nos conservaram sob o seu domínio e poder.

Quando deixamos os outros conduzirem nosso jeito de sentir, pensar e agir, damos-lhes o consentimento de nos usar ou manipular como e quando quiserem.

Nosso valor reside neles, e se eles se recusarem a nos dar sua apreciação positiva, nos sentiremos um "nada", ou seja, emocional ou moralmente sem valor.

Estas palavras de Paulo constituem a síntese perfeita de um ser humano extraordinário que agia corajosamente perante a sociedade de sua época: "(...) falamos não para agradar aos homens, mas, sim, a Deus, que perscruta o nos so coração." [3]

[1] *Lucas, 17:21*

[2] *Questão 794*

A sociedade poderia ser regida somente pelas leis naturais, sem o concurso das leis humanas?

"Ela o poderia se os homens as compreendessem bem, e seriam suficientes se houvesse vontade de as praticar. Mas a sociedade tem suas exigências, e precisa de leis particulares."

[3] *I Tessalonicenses, 2:4*

Compreensão

Quando se trata da "compreensão em Deus", não neguemos nada, não afirmemos nada, apenas esperemos confiantes. O estado numinoso é a mão misteriosa que nos aproxima daquilo que nos é útil e nos afasta daquilo que não nos serve.

As enciclopédias trazem no verbete "religiosidade" as mais diversas observações de ordem linguística, restringindo-nos a compreensão clara e uma noção definida a respeito deste tema. Apesar do elenco de ideias e definições que podemos encontrar, aqui registraremos um conceito que, a nosso ver, melhor se ajusta ao vocábulo religiosidade: "estado íntimo em que a alma se identifica com o sagrado", ou seja, "encontro do homem com o numinoso". A palavra "nume" é oriunda do latim *numen, inis* e quer dizer "divindade".

O "nume" é a essência da ideia do divino. Essa essência é encontrada na inspiração ou intuição, enquanto sua vivência é sentida no âmago das criaturas através de um estado afetivo de confiança absoluta na Ordem Divina.

Quando se trata da "compreensão em Deus", não neguemos nada, não afirmemos nada, apenas esperemos confiantes. O estado numinoso é a mão misteriosa que nos aproxima daquilo que nos é útil e nos afasta daquilo que não nos serve.

O indivíduo envolvido pelo sentimento numinoso está influenciado pelas qualidades transcendentais do Criador. Essa sensação íntima é captada pelas vias invisíveis do Espírito e, para muitos, ela ainda é considerada uma experiência indecifrável, misteriosa e não racional, isto é, um enigma para os seres humanos.

No entanto, é indispensável lembrarmos que "aos olhos daqueles que olham a matéria como uma única força da natureza, tudo o que não pode ser explicado pelas leis da matéria é maravilhoso ou sobrenatural".[1] Na atualidade, nossa ligação com as vias sagradas do Universo não é compreendida com clareza nem vista como uma atitude natural e espontânea.

Por isso, Allan Kardec pergunta aos Seareiros do Bem: "*Se não podemos compreender a natureza íntima de Deus, podemos ter uma ideia de algumas de suas perfeições?*" E os Espíritos Amigos respondem: "*Sim, de algumas. O homem as compreende melhor à medida que se eleva acima da matéria; ele as entrevê pelo pensamento.*"[2]

O "templo da compreensão" do sagrado ou numinoso não está em percorrer um caminho florido e verdejante numa planície tranquila e pitoresca, e sim em escalar o cume de uma montanha majestosa, onde se passa pelas trilhas íngremes da inspiração e pelas sendas estreitas da introspecção.

Quando estivermos dispostos a nos soltar e nos entregar nas Mãos Divinas, poderemos compreender que esse estado de confiança e entrega a Deus nada mais é do que possibilidades naturais; são capacidades peculiares ou comuns a todos os homens.

Deveríamos compreender que o entendimento humano é limitado e que existem fatos e situações que não podemos resolver por nós mesmos. Somente confiando na Inteligência Superior é que as coisas inexplicáveis começam a revelar-se em nossa vida.

É indispensável, porém, entendermos a expressão "lançarmo-nos nas Mãos de Deus" como uma "manifestação valorosa de devoção e fé" e jamais como uma "manifestação de entrega desesperada diante da perda e ruína".

No primeiro caso, ela possui o significado de que o Bem Maior deve prevalecer acima de qualquer solução ou julgamento de nossa parte. Quanto mais cultivarmos a compulsão de tudo saber e resolver, mais as respostas nos escaparão e menores serão as oportunidades de dissolvermos as dificuldades existenciais.

Todavia, não podemos nos esquecer de que as dádivas que Deus nos conferiu não devem servir como passaporte para a apatia, já que o livre-arbítrio, a inteligência, a vontade e o senso crítico são dons que podemos e devemos utilizar para enfrentarmos as crises que surgem em nosso cotidiano.

No segundo caso, existe uma expressão de acomodação, apatia e má vontade. É uma postura de virar as costas para a orientação celeste. Aí está implícita toda uma atitude de não pedir nem esperar ajuda, mas simplesmente de querer que a solução apareça como num conto de fadas.

Para compreender as dádivas de Deus, às vezes é necessário cerrarmos os olhos para tudo que nos rodeia e abandonarmos a nossa síndrome de onipotência e de inflexível obstinação, qual seja a de supervalorizar às próprias ideias, resoluções e empreendimentos.

Permanecemos em um "estado numinoso" quando possuímos a compreensão plena de ser sustentados pela Força Sagrada do Universo. Vivemos em "estado numinoso" quando nos soltamos e nos entregamos só a Deus, e Nele confiamos.

[1] *"O Livro dos Médiuns" – Primeira parte – capítulo II, item 10*

[2] *Questão 12*

Se não podemos compreender a natureza íntima de Deus, podemos ter uma ideia de algumas de suas perfeições?

"Sim, de algumas. O homem as compreende melhor à medida que se eleva acima da matéria; ele as entrevê pelo pensamento."

Compreensão

A compreensão da "natura" (palavra latina) – a natureza personificada ou essência das coisas – deve ser vista como uma soberana que se dedica a esclarecer constantemente os conflitos pessoais e os enigmas da humanidade.

A compreensão da Natureza determina o que é verdadeiro ou não. Ela nos leva à escola da sabedoria das abelhas, dos joões-de-barro, das formigas e das aranhas, mostrando-nos que, por detrás dela, existem leis sábias que nos ensinam o que a dedução, a suposição e a apreciação, simplesmente, não nos podem explicar.

A Natureza é criação divina, produto da "determinação de Deus", e nós, filhos do Poder Universal, somos também Natureza. Portanto, age em nós uma vontade superior: *"o homem sendo perfectível, e carregando em si o germe de seu aperfeiçoamento, não está destinado a viver perpetuamente no estado natural(...)"*[1], pois a força do progresso é uma condição inerente da vida humana. A Natureza garante a evolução.

Em Assis, no século XIII, o iluminado Francisco Bernardone enalteceu a interação do homem com a Natureza em seu "Cântico ao Sol", no qual louva alegremente o irmão Sol, a irmã Lua, a irmã Água e a mãe Terra, mostrando-nos a profunda ligação que todos temos com a Natureza. Somos parte dela como ela é parte de nós; o livro da Natureza integra nossa intimidade.

As "leis divinas ou naturais" estão cunhadas em nossa *consciência*[2], onde se encontra a mais perfeita ligação com a Divindade. Não devemos nos esquecer de que o termo *consciência,* empregado pelos Benfeitores Espirituais nesta questão de "O Livro dos Espíritos", é sinônimo de *alma*, e não a popularmente denominada "consciência crítica" – parte julgadora da personalidade que se manifesta quando analisamos atos e atitudes e os catalogamos como bons ou maus.

Cedo ou tarde, a "compreensão da Natureza" há de esclarecer os mais intrincados enigmas da humanidade, visto que, se não a utilizarmos por meio da lógica ou inferência – exercício intelectual pelo qual se afirma uma verdade em decorrência de sua ligação com outras já conhecidas –, ela nos atingirá através de nosso senso interior, que independe da razão intelectual e de considerações de ordem mental ou moralista.

Podemos compreender melhor nossos sentimentos a partir dos reinos da Natureza. Os animais têm emoções – medo, raiva, alegria, ciúme, afeição – manifestadas pelas mais diversas expressões. Se examinarmos atentamente essas expressões do ponto de vista de suas funções a serviço de impulsos e de necessidades no processo de adaptação dos indivíduos ao meio ambiente, veremos que algumas são resquícios herdados dos ancestrais pré-hominídios, comuns a toda criatura humana.

Muitos de nossos comportamentos são inatos e não aprendidos, já que se repetem em todos os seres humanos, nas mais diferentes regiões, épocas e culturas. A "compreensão da Natureza" é uma réstia de luz no lago de trevas da visão humana.

Se observarmos os aspectos biológicos e psicológicos das expressões dos animais diante das diversas situações – fome, perigo, prazer, ameaça, etc. –, eles nos servirão de inspiração para compreendermos o "porquê" de nossos atos e atitudes.

Parece-nos de extrema importância o estudo do comportamento social e individual dos animais comparado aos costumes humanos como fatos sociais. As expressões, gestos e mudanças de feições e energias que as antecedem e acompanham são padrões comportamentais criadores de uma espécie de "linguagem fisionômica", se assim podemos dizer, universal e uniforme, que utiliza as mesmas fibras do nervo facial para exprimir seus sentimentos; e que salvaguarda as devidas proporções – dimensão, intensidade, tamanho e estética – nos seres humanos.

Eis aqui algumas das expressões instintivas ou contrações faciais comuns tanto nos homens como em determinados animais: a elevação da sobrancelha na indignação; a postura ereta e aprumada diante do desafio e do ataque; os punhos cerrados na raiva; o arregalar dos olhos na surpresa; o enrubescer na vergonha; a contração entre as sobrancelhas na concentração; a saliência dos lábios superiores e o nariz empinado na indiferença; as sobrancelhas apertadas e a boca firmemente fechada na obstinação; o repuxar dos lábios e uma súbita expiração no nojo; o brilho dos olhos na satisfação; elevação da sobrancelha e os cantos da boca caídos na tristeza; e outras tantas mais.

"(...) O homem, tendo tudo o que há nas plantas e nos animais, domina todas as outras classes por uma inteligência especial (...)." [3]

A concepção de vida isolada que muitos de nós cultivamos na atualidade modela o homem, abafando-lhe sua interligação com a naturalidade e promovendo a padronização neurótica da vida social e a manutenção do *status quo*.

Somos seres imortais, trazendo como patrimônio espiritual um acervo de bagagens ainda desconhecidas. Nossa singularidade tem raízes adquiridas na travessia pelas faixas naturais da existência.

Se a cada dia conhecer mais as leis da Natureza e souber que cada ser é algo "nascituro", ou seja, "aquele que deve nascer" e que, mesmo antes de nascer, nele existe uma forma latente e potencial, o homem se tornará cada vez melhor, participando e vivendo socialmente, sem se esquecer do princípio da naturalidade comum a todos os seres vivos.

Apesar de todos nós termos transitado pela irracionalidade nos reinos menores da vida, somos hoje potencialmente racionais, embora na grande maioria das criaturas ainda não haja sido despertada essa racionalidade, de forma efetiva, mas apenas a sua intelectualidade.

A compreensão da *natura* (palavra latina) – a natureza personificada ou essência das coisas – deve ser vista como uma soberana que se dedica a esclarecer constantemente os conflitos pessoais e os enigmas da humanidade.

[1] *Questão 776*

O estado natural e a lei natural são a mesma coisa?

"Não, o estado natural é o estado primitivo. A civilização é incompatível com o estado natural, enquanto que a lei natural contribui para o progresso da Humanidade."

Nota - *O estado natural é a infância da Humanidade e o ponto de partida de seu desenvolvimento intelectual e moral. O homem, sendo perfectível, e carregando em si o germe de seu aperfeiçoamento, não está destinado a viver perpetuamente no estado natural, como não está destinado a viver perpetuamente na infância. O estado natural é transitório e o homem liberta-se pelo progresso e pela civilização. A lei natural, ao contrário, rege a Humanidade inteira, e o homem se aperfeiçoa à medida que compreende melhor e pratica melhor essa lei.*

[2] *Questão 621 de "O Livro dos Espíritos"*

[3] *Questão 585 de "O Livro dos Espíritos"*

Individualidade

A individualidade está associada a uma ampliação de consciência e a um amadurecimento pessoal.

"Como posso ser eu mesmo?", perguntam-se muitas pessoas, se elas próprias não sabem quem são! Assim é que nos sentimos – perdidos e confusos – quando nos encorajam a ser nós mesmos.

Como podemos admitir nossa individualidade, ou ser quem somos, se durante anos vivemos emaranhados e confundidos nas necessidades e nos conceitos de outros?

Todos temos nossa maneira peculiar de nos desenvolver física, emocional e espiritualmente. A cada dia, estamos descobrindo mais e mais sobre nós, aceitando-nos como almas imortais temporariamente sujeitas à condição humana, com todas as suas fragilidades, sensações e sentimentos.

Não adianta lutarmos contra a maré. É preciso respeitarmos os ciclos dentro e em torno de nós. Não vamos conseguir vencê-la: a maré, tanto quanto nós, é comandada pelas forças da Natureza. Quando aprendemos a respeitar as nossas etapas de crescimento, aceitando-as como parte da ordem natural, progredimos de forma segura e constante.

Desde que os homens começaram a navegar pelos oceanos, as ondas sempre os cativaram e espantaram. É provável que o fascínio do homem diante da movimentação do mar esteja vinculado a uma inconsciente constatação de que foi dele que fisicamente viemos.

As marés são causadas pela força gravitacional conjunta da lua e do sol, que movimenta as águas do mar. Quando utilizamos as expressões "maré baixa" ou "maré alta", para referir-nos ao nosso estado íntimo, na verdade estamos nos identificando com a Natureza e, ao mesmo tempo, reconhecendo que os fenômenos naturais administram tanto o mundo exterior como o nosso mundo interior. Devemos harmonizar-nos com a Natureza, isto é, com todas as criações e criaturas do nosso mundo.

Ser quem somos significa aceitarmos nossa história de vida exatamente como ela é. Quer dizer, aceitarmos nossas condições – físicas, mentais e transcendentais – como são no momento presente. Isso nos facilita renovar, crescer e mudar para melhor.

Quanta dor, quanta doença vem da displicência de não querermos buscar o verdadeiro sentido da vida! Quem busca o âmago espiritual liberta-se da dominação da psicopatologia. Aprende a cuidar de si mesmo com mais amor, porque abriu dimensões interiores antes desconhecidas, tomando consciência plena, a partir daí, da sua unidade primordial – a alma.

O indivíduo é a junção dos fatores corpo-mente-alma. A separação da natureza humana em partes distintas remonta aos antigos pensadores gregos. Platão foi o primeiro a estabelecer essa linha divisória, seguido, posteriormente, por diversos teólogos e filósofos da Idade Média. Nossa vestimenta corporal pode ser uma sábia e dedicada professora sempre disposta a nos ensinar a crescer, ou, se, analisada de forma preconceituosa, pode se tornar uma pesada cruz que carregaremos vida afora a nos conduzir ao desequilíbrio.

Uma pessoa não é composta apenas de suas experiências espirituais, mas, igualmente, de suas experiências materiais. Cada uma de suas vivências é assinalada, primeiramente, em seu íntimo e, depois, no veículo físico. Assim como podemos determinar quantos anos tem um carvalho, analisando seus anéis de crescimento (círculos em torno de seu tronco), da mesma forma é possível ler a história de uma pessoa através de seu corpo físico-espiritual.

"*(...) os conhecimentos adquiridos em cada existência não se perdem. Libertado da matéria, o Espírito os conserva. Durante a encarnação, ele pode esquecê-los em parte momentaneamente, mas a intuição que deles guarda ajuda o seu adiantamento. Sem isso, deveria sempre recomeçar. O Espírito parte, em cada nova existência, do ponto em que chegou na existência anterior.*" [1]

Quem se individualiza é porque tomou consciência do "*traço das percepções que teve e dos conhecimentos que adquiriu nas suas existências anteriores*" [1]; somou-os aos da vida atual e, por isso, avalia e analisa suas ideias inatas.

A individualização do ser se dá a partir de um processo por meio do qual a criatura se torna consciente de seus aspectos singulares, ou mesmo quando se conscientizou de que essas características a diferenciam das outras pessoas. No entanto, ela sabe que não é melhor nem pior que ninguém; simplesmente se distingue das outras por suas particularidades.

A individualidade está associada a uma ampliação de consciência e a um amadurecimento pessoal.

O conceito espírita de ideias inatas – conjunto de ideias e ideais que trazemos de vidas passadas para a vida atual e que usamos de modo natural e espontâneo – vem cooperar com o processo de individualização, facilitando a nossa transformação interior e/ou auto-iluminação.

Somos Espíritos distintos, não somente pelas vivências reencarnatórias desta e de outras vidas pretéritas, como também pela unicidade que o Criador imprimiu em cada um no momento da criação. *"Deus criou todos os Espíritos simples e ignorantes, quer dizer, sem ciência."* E, especificamente, *"deu a cada um determinada missão (...)"*.[2]

[1] *Questão 218*

O Espírito encarnado conserva algum traço das percepções que teve e dos conhecimentos que adquiriu nas suas existências anteriores?

"Resta-lhe uma vaga lembrança que lhe dá o que se chama de ideias inatas."

A teoria das ideias inatas não é, pois, uma quimera?

"Não, os conhecimentos adquiridos em cada existência não se perdem. Libertado da matéria, o Espírito os conserva. Durante a encarnação, ele pode esquecê-los em parte momentaneamente, mas a intuição que deles guarda ajuda o seu adiantamento. Sem isso, deveria sempre recomeçar. O Espírito parte, em cada nova existência, do ponto em que chegou na existência anterior."

[2] *Questão 115*

Entre os Espíritos, alguns foram criados bons e outros maus?

"Deus criou todos os Espíritos simples e ignorantes, quer dizer, sem ciência. Deu a cada um determinada missão com o fim de esclarecê-los e fazê-los alcançar, progressivamente, a perfeição para o conhecimento da verdade e para aproximá-los Dele. A felicidade eterna e pura é para aqueles que alcançam essa perfeição. Os Espíritos adquirem esses conhecimentos, passando pelas provas que Deus lhes impõe. Alguns aceitam essas provas com submissão e alcançam mais prontamente o fim de sua destinação. Outros não as suportam senão murmurando e, por suas faltas, permanecem distanciados da perfeição e da felicidade prometida.

Segundo isto, os Espíritos seriam em sua origem, como são as crianças, ignorantes e sem experiência, adquirindo pouco a pouco os conhecimentos que lhes faltam em percorrendo as diferentes fases da vida?

"Sim, a comparação é justa; a criança rebelde permanece ignorante e imperfeita; segundo sua docilidade, ela aproveita mais ou menos. Todavia, a vida do homem tem um termo e a dos Espíritos se estende ao infinito."

Individualidade

Individualizar-se é reconhecer a própria maneira de desenvolver-se física, emocional e espiritualmente.

Carl Gustav Jung definiu individuação como um processo por meio do qual uma pessoa se torna consciente de sua individualidade.

Individualidade pode ser definida como o conjunto de atributos que constituem a originalidade, a unicidade de uma criatura, e que a distinguem de outras tantas; é o somatório das características inerentes à alma humana. Toda criatura que se individualizou tornou-se um ser homogêneo, pois não mais procura comparar-se com os outros; admite sua singularidade.

O ser vivente, atravessando inúmeras etapas evolutivas através das mais diversas encarnações, traz consigo uma gama imensa de traços de personalidade acumulados nas vidas pretéritas, assemelhando-se a verdadeiras "fotocópias do passado".

Por não termos uma percepção clara de nossa real identidade é que somos escravos da opinião alheia.

Em determinadas fases de nossa vida, pensamos ser aquilo que os outros pensam que somos. Somos dependentes. Em outras, deixamos a dependência e a submissão aos outros e nos tornamos unicamente vinculados àquilo que pensamos de nós mesmos. Somos independentes.

Entretanto, quando tudo sugere tranquilidade e certeza, surge um vazio existencial; parece faltar algo de fundamental em nossas vidas e entendemos que estamos ainda na superfície de nossa intimidade. Aí se inicia a busca mais profunda em nosso interior – o processo de individuação.

A máscara de autonomia que usávamos cai e descobrimos que representava apenas um compromisso entre nós e a sociedade quanto àquilo que alguém aparenta ser: nome, sexo, nacionalidade, título, profissão ou ocupação. Na realidade, todos esses dados são verdadeiros; mas, quando se trata de nossa individualidade profunda, eles pouco representam, pois estão ligados às realizações externas e aos objetivos do ego.

O passo essencial no processo de individuação é a retirada de nossa máscara ou *persona* – personalidade que nós apresentamos aos outros como real, mas que, em muitas ocasiões, difere consideravelmente da verdadeira. Embora a máscara tenha funções psicológicas importantes para nossa proteção em certos períodos da vida, ela também turva e oculta nosso "Eu" real, ou seja, a alma.

Para nos tornarmos um indivíduo, são necessários o exercício do autoconhecimento e uma constante auto-observação, para que possamos distinguir com nitidez o que somos agora e o que fomos ontem, sem querer acomodar todos os pontos de vista das pessoas com as quais convivemos.

Individualizar-se é reconhecer a própria maneira de desenvolver-se física, emocional e espiritualmente.

Os Benfeitores Espirituais enfatizam que as leis divinas "*devem ser apropriadas à natureza de cada mundo e proporcionais ao grau de adiantamento dos seres que os habitam*". [1]

As leis naturais que dirigem a vida são sábias e justas e

agem em cada indivíduo de forma relativa e não generalizada. A Onipotência Divina leva em conta a imensa diversidade dos níveis de amadurecimento dos seres humanos; portanto, o juízo é sempre proporcional ao estágio evolutivo de cada criatura.

Ao nos identificarmos com nosso "Eu" mais profundo, reconhecemos que somos Espíritos imortais e, por consequência, emerge de nossa intimidade uma consciência liberta do mundo mesquinho, diminuto e pessoal do ego. Aberta a uma postura ética de participação nos interesses coletivos, a consciência identifica-se com uma cosmovisão, onde todas as coisas estão ligadas por sutil e complexa malha de fios invisíveis.

[1] *Questão 618*

As leis divinas são as mesmas para todos os mundos?

"A razão diz que elas devem ser apropriadas à natureza de cada mundo e proporcionais ao grau de adiantamento dos seres que os habitam."

Segurança

Só tropeça quem está a caminho. Só erra quem é livre para tentar.

A palavra "penitência" (do latim *poenitentia*) quer dizer arrependimento, redenção. Dela provém outro termo, "penitenciária", originário dos tribunais romanos, onde se concediam ou não as absolvições.

Por estranho que pareça, "penitenciária" não tem hoje a mesma significação etimológica que se esperaria, ou seja, lugar onde se redime a falta cometida. Tanto os presídios da atualidade, como muitos do passado, não criaram nem desenvolveram mecanismos educativos e de promoção social para que houvesse renovação e recuperação dos que poderíamos chamar de "penitentes".

De modo geral, o prisioneiro fica mais perverso e corrompido depois de ingressar no presídio – lugar que deveria ter como finalidade única o reajustamento moral do ser humano. São paradoxos do grau evolutivo de nossa humanidade.

Reflexionando sobre essas questões, talvez possamos redirecionar os conceitos que envolvem celas e penitenciárias para outros níveis de compreensão e reestruturá-los em novos pontos de vista.

É interessante observar que indivíduos presos por vários anos, quando ficam fora dos muros da prisão, começam a sentir medo e enorme insegurança quanto ao futuro. Na cela, esses homens se viam seguros, recebiam invariavelmente alimentos, roupas e agasalhos. Ao deixarem o cárcere e entrarem em contato com outras pessoas, com a comunidade, enfim com as intempéries do cotidiano, a realidade para eles tomará outra dimensão.

Se antes possuíam uma fictícia certeza e não se preocupavam com o dia de amanhã, agora vão recomeçar, libertos, uma nova etapa existencial. A liberdade nesse instante, porém, lhes trará os imprevistos comuns da vida livre e, por consequência, inúmeras hesitações e ansiedades.

Fora da prisão, têm de trabalhar para suprir as necessidades básicas; então surge o receio de não conseguirem saciar a fome, de não possuírem um teto que os abrigue, pois, doravante, precisam usar o senso interior e guiar-se por si mesmos. Necessitam prover o próprio sustento, o que, nessa conjuntura, gerará temores e desconforto.

Intimamente também somos assim. Presos durante anos na "cela do ego", vivendo em um cubículo supostamente seguro, sentimos muita estabilidade e bem-estar.

Abrindo mão de nossa verdadeira liberdade, por preferirmos a falsa proteção da cela interior e algumas migalhas de um conforto rotineiramente fugaz, não saímos da prisão onde nós mesmos nos encarceramos.

São celas que nos dão pálidas honrarias e efêmeros sucessos – por alto preço emocional –, criadas por nós próprios para nos autopenitenciar.

Muitas pessoas acabam num "inferno íntimo" por não se libertarem do apego, da culpa, do orgulho e da mágoa. Criamos:

• celas que isolam os sentimentos.
• celas que disputam os cumes sociais.
• celas que mendigam afetos.
• celas que disfarçam o perfeccionismo.
• celas que sustentam o fanatismo religioso.
• celas que confinam os bens alheios.
• celas que ambicionam o poder público.
• celas que estimulam a luxúria.

São inúmeros os cárceres que parecem confortáveis. Conquanto disfarçados de veludo e móveis refinados, perfumes e joias caras, não deixam de ser prisões que confinam a alma, impedindo-lhe a expansão da consciência.

Sair dos grilhões mentais ou da "cela egóica" não é tão fácil. Somos conservadores, acomodados, e estamos tão sujeitos a uma robotização de hábitos que nunca adquirimos um duradouro conforto psicológico. Sem nos darmos conta, pagamos um preço elevado por algo que as normas sociais dizem ser seguro e garantido.

Abandonar as algemas que nós mesmos nos colocamos e nos dar auto-absolvição é o que mais precisamos no momento atual. O homem verdadeiramente liberto sabe que sempre estará correndo riscos e, por consequência, nunca terá absoluta segurança. Só tropeça quem está a caminho. Só erra quem é livre para tentar.

A vida é um processo dinâmico; não pode ser predeterminada segundo nossa diminuta visão evolutiva. Ninguém tem condições de afirmar com plena certeza o que acontecerá amanhã. Nas estradas das múltiplas existências, caminhamos com mil e uma incertezas.

De conformidade com os ensinos dos Nobres Emissários da Codificação "(...) *só Deus é soberano senhor e ninguém o pode igualar*" [1], pois até mesmo as Entidades Superiores que alcançaram a perfeição absoluta não possuem o conhecimento completo do futuro. E prosseguem afirmando que "(...) *O Espírito vê o futuro mais claramente, à medida que se aproxima de Deus*" [1].

Podemos até entender o porquê de alguns dizerem que a liberdade vem acompanhada de certa dose de insegurança.

De início, quando começamos a viver fora das quatro paredes do ego, fora das grades da falsa estabilidade, podemos sentir vacilações, incertezas e até muito medo.

Retomemos o exemplo da cela: os detentos usam roupas padronizadas e não escolhem sua alimentação. Escolher suas vestimentas e optar por determinadas comidas são vantagens primordiais de quem conquistou a liberdade. Tomar as próprias decisões, ser livre para errar, dançar, correr, rir e brincar, ser independente para trabalhar como e onde quiser, fazer o próprio horário, viajar e conhecer novas pessoas – essa é a recompensa de toda criatura livre.

O que você quer: a *segurança da cela* – uma "bela prisão" onde possa viver sem nenhuma consciência – ou a *insegurança sadia*, ou seja, viver por si mesmo, utilizando a direção que a força e o potencial da alma lhe dão em forma de senso interior?

[1] *Questão 243*

Os Espíritos conhecem o futuro?

"Isto depende ainda da sua perfeição; frequentemente, eles apenas o entreveem, mas nem sempre têm a permissão de o revelar.

Quando o veem, parece-lhes presente. O Espírito vê o futuro mais claramente, à medida que se aproxima de Deus. Depois da morte, a alma vê e abrange, de um golpe de vista, suas migrações passadas, mas não pode ver o que Deus lhe reserva; para isso, é necessário que esteja integrada nele, depois de muitas existências."

Os Espíritos que alcançaram a perfeição absoluta têm o conhecimento completo do futuro?

"Completo não é a palavra, porque só Deus é soberano senhor e ninguém o pode igualar."

Segurança

Fincar-se numa só linha de pensamento ou corrente filosófica pode parecer a maneira mais segura de viver, contudo é a mais infantil delas.

O Universo infinito é constituído de número incalculável de mundos que se intercalam e se interligam uns aos outros. Nosso planeta representa uma minúscula nave estelar percorrendo o Cosmo. Estamos numa viagem interminável, navegando pelo espaço sideral, ajustados e guiados pelas leis soberanas da Divina Providência.

Muitas vezes, coabitamos espaços pluridimensionais com outras sociedades astrais, porém vibrando em diferentes frequências de sintonia, o que nos impede de perceber nitidamente essa realidade. Há inúmeras esferas onde vivem aqueles que amamos outrora e/ou que, na presente encarnação, nos precederam na viagem de retorno à Pátria Espiritual.

Existem momentos na vida em que somos envolvidos por inexplicáveis saudades ou indefiníveis sensações de falta de alguém. Vem-nos à mente o desejo de ir além das barreiras da memória presente, de visualizar criaturas queridas, mas não há como distingui-las pelos sentidos físicos. Um saudosismo nos abate e, na acústica da alma, algo nos fala de um passado distante e nostálgico.

Berço e túmulo são simples fronteiras entre uma e outra condição. Não nos damos conta de que estamos interligados por diversas reencarnações e de que há uma gama incontável de pessoas que amamos e com as quais convivemos durante longas jornadas.

Muitos de nós estamos confinados e apegados aos laços consanguíneos da vida atual, profundamente agarrados uns aos outros, visto que aprendemos a amar apenas os parentes mais próximos. Formamos uma equipe familiar sedimentada no apego; estamos amarrados nos elos corporais, que geram a insegurança e a "neurose da separação".

Essa forma de viver não traz segurança; as pessoas percebem o mundo através de um dualismo redutivo, que as leva a supervalorizar o *status quo*. Pessoas independentes e seguras veem a existência de forma criativa e habilidosa, enxergando soluções claras e objetivas para seus relacionamentos problemáticos, pois utilizam uma visão ampla de família, jamais fragmentada ou unilateral.

Os indivíduos que despertam para a grandeza dos Domínios da Criação quebram os grilhões da possessividade que os prendiam à passageira parentela terrena. Caminham pela Terra à maneira de peregrinos sem nacionalidade e sem lar, porque compreendem os fundamentos superiores da família universal. Contemplam a nave terrena sob o impacto do progresso espiritual e observam a transformação que altera os rumos dos seus habitantes – companheiros de jornada – por meio da lei da reencarnação.

"Disseram-lhe: Eis que tua mãe, teus irmãos e tuas irmãs estão lá fora e te procuram. Ele perguntou: Quem é minha mãe e meus irmãos? E, repassando com o olhar os que estavam sentados ao seu redor, disse: Eis a minha mãe e os meus irmãos. Quem fizer a vontade de Deus, esse é meu irmão, irmã e mãe." [1]

Quando amadurecemos, não damos importância apenas

aos valores e princípios éticos assimilados individualmente no convívio do atual vínculo familiar ou religioso, mas também aos valores e princípios éticos de cada ser humano. Temos muito a aprender com os outros; precisamos respeitar a realidade de todos e lembrar que grande parte do mundo está fora de nosso campo de visão. Todo extremo leva-nos à insegurança; já a segurança está no meio dos extremos.

Ao ampliarmos nosso nível psicológico-espiritual, observaremos a vida pela ótica da pluralidade das existências e constataremos que tanto o amor como o ódio atraem as almas antes, durante e após a sua encarnação.

Quantos pais e irmãos já tivemos? Quantos cônjuges e filhos compartilharam conosco o mesmo ambiente doméstico? Quantas criaturas, em número bem maior que o de hoje, já trocaram conosco ternura, atenção e desvelo?

Se fizéssemos uma "equação simbólica" a fim de conhecermos melhor a imensidão de entes queridos que já desfrutaram conosco o mesmo ambiente de afetividade, poderíamos ter uma noção mais apurada da "família universal" ou da "quantidade de afetos" que iremos encontrar um dia no mundo astral.

Supondo que já percorremos em nossa jornada evolutiva em torno de duzentas encarnações, e que, em cada uma delas, tivemos três filhos e nos consorciamos uma só vez, assim ficaria nosso "cálculo figurado": cerca de duzentos maridos ou esposas e seiscentos filhos nos esperando no além-túmulo. Com quais criaturas iríamos conviver? Coisas ignoradas ou não pensadas criam mais insegurança do que as conhecidas ou já analisadas.

Allan Kardec, o sistematizador dos ensinos espíritas, oferece em *O Livro dos Espíritos* a resposta dada pelas Almas Superiores sobre essa questão: "*Vemos nossa vida passada e a lemos como num livro; vendo o passado de nossos amigos e de nossos inimigos, vemos sua passagem da vida para a morte.*" [2] De acordo com o pensamento da Espiritualidade Maior, *os Espíritos se conhecem por terem coabitado a Terra. O filho reconhece o pai, o amigo, seu amigo, assim de geração a geração.* [2]

Seres humanos seguros não reprovam ninguém; antes veem, em todos e em si mesmos, uma contínua e inseparável ligação com o Criador e com as criaturas. A ilusão nos faz acreditar na existência de um "mundo exterior" (físico ou astral) independente ou separado do "mundo interior", quando, na realidade, são apenas dois lados de um mesmo tecido, no qual os fios de todos os fatos e de todas as formas de consciência estão interligados numa rede inseparável.

O "amor sem fronteiras" – o verdadeiro amor – é sempre respeitoso e abrangente, totalmente diferente da atitude possessiva e limitada dirigida apenas à parentela consanguínea. Quando o "amor fica doente", induz os seres ao isolamento, e este tudo sufoca a seu redor.

A Espiritualidade Superior nos ensina a pensar holisticamente, lembrando-nos de que somos parte de um todo muito mais amplo. Para sermos seguros é preciso que tenhamos visão da totalidade.

Segundo o apóstolo João, assim Jesus orou, erguendo os olhos ao céu: "(...) a fim de que todos sejam um. Como tu, Pai, estás em mim e eu em ti, que eles estejam em nós (...)". [3]

O que deve, mais tarde, ter levado Paulo de Tarso a escrever às igrejas da Galácia: "Não há judeu nem grego, não há escravo nem livre, não há homem nem mulher; pois todos vós sois um só em Cristo Jesus" [4].

Nós nos sentimos seguros entre irmãos, e o verdadeiro significado de irmandade é justamente olhar à nossa volta e redescobrir que, quando utilizamos o "pensamento holístico", nos soltamos dos antigos grilhões de uma visão linear ou simplista. Fincar-se numa só linha de pensamento ou corrente filosófica pode parecer a maneira mais segura de viver, contudo é a mais infantil delas.

Seja qual for nossa instrução religiosa, nós só nos tornamos pessoas seguras quando aprendemos a pensar em termos de universalidade, percebendo nosso papel na unidade da vida, tanto no aspecto físico como no espiritual, e buscando, acima de tudo, o bem comum – manter um compromisso com o coletivo. "Quem fizer a vontade de Deus, esse é meu irmão, irmã e mãe". Essa a proposta cristã para ampliar nosso conceito de família, de humanidade; de mundo ético, enfim.

[1] *Marcos, 3:32 a 35*

[2] *Questão 285*

Os Espíritos se conhecem por terem coabitado a Terra? O filho reconhece o pai, o amigo, seu amigo?

"Sim, e assim de geração a geração."

Como os homens que se conheceram sobre a Terra se reconhecem no mundo dos Espíritos?

"Vemos nossa vida passada e a lemos como num livro; vendo o passado de nossos amigos e de nossos inimigos, vemos sua passagem da vida para a morte."

[3] *João, 17:21*

[4] *Gálatas, 3:28*

Renovação

Ao se renovar, o homem transformará o mundo. Não devemos voltar nossa atenção para modificar as coisas de fora, mas para aprimorar ou despertar as coisas da nossa intimidade.

Ressonância vem do latim *resonantia*, aquilo que ressoa, que faz eco, que retumba. É um fenômeno físico que ocorre pela propagação de ondas sonoras em todas as direções. Pode começar por uma alteração mecânica qualquer – uma janela que bate, uma voz aguda, o bater de palmas ou o tocar de uma tecla de piano. Essas ondas em movimento é que são ouvidas. É a ressonância.

Entretanto, os sons jamais procedem aleatoriamente, pois obedecem a certas leis imutáveis da Natureza.

Quando passamos por um extenso vale ou por um penhasco e, por exemplo, emitimos um ruído qualquer, o ricochete da onda sonora faz com que ele seja claramente percebido como um sinal distinto do transmitido originalmente. O ruído das trovoadas nas montanhas é uma sequência de reflexos que ecoam, constituindo o fenômeno denominado *reverberação*.

A harmonia ou o desequilíbrio no ambiente familiar é, na verdade, uma "ressonância ou reverberação pessoal ou coletiva" resultante das atividades mentais do "eu" individual ou grupal que formam o clima energético da moradia. Os momentos infelizes que vivenciamos com nossos familiares são aprendizagens que necessitam ser assimiladas em nosso universo interior. Segundo o exímio escritor francês Voltaire, "o acaso nada mais é do que a causa ignorada de um efeito desconhecido".

"*Os pais transmitem, frequentemente, aos filhos uma semelhança física. Transmitem também uma semelhança moral?*"

"*Não, uma vez que têm alma ou Espírito diferentes. O corpo procede do corpo, mas o Espírito não procede do Espírito. Entre os descendentes das raças não há senão consanguinidade.*" [1]

Da mesma forma que não podemos protestar ou lutar contra os ecos que ressoam pelo efeito de nossos próprios ruídos ou palavras, igualmente não devemos ralhar com as pessoas ou fatos da vida doméstica, pois são somente reflexos da realidade interior, atraídos e materializados pelo nosso estado de consciência. Enorme é a aflição daqueles que não sabem que criam aquilo que vivem, já que se sentem impotentes nas mãos de uma força que não compreendem.

No entanto, quase todos nós fazemos exatamente isso em nosso cotidiano. Lutamos e discutimos contra as ocorrências, os comportamentos e atos externos em nosso ambiente social ou domiciliar, sem nunca nos voltarmos para dentro de nós mesmos, perguntando-nos onde está a verdadeira raiz do conflito. O sábio observa os acontecimentos como quem olha para o espelho; nossa realidade reflete aquilo que somos.

Ninguém em sã consciência brigaria com o próprio "eco", pois estaria, na realidade, lutando contra si mesmo. Ao fazermos esse jogo imaturo, tomamos para nós uma luta inglória, em que não há vencedores, apenas vencidos. Quem deveríamos derrotar numa batalha em que escutamos apenas a própria voz ecoando?

Indivíduos de uma mesma família precisam perceber seu poder de ação na atmosfera energética familiar, analisando os atos e atitudes vivenciados no dia a dia, como se estivessem expostos numa "vitrina". A partir dessa observação, cabe-lhes alterar comportamentos inadequados e rever posturas de inflexibilidade.

A Providência Divina nos ensina autorresponsabilidade aliada à renovação. Ela tem seus próprios critérios e age dentro das leis imutáveis da vida, não se ajustando aos caprichosos padrões impostos pela sociedade. Nossos atos e atitudes escrevem nosso destino. Nós somos responsáveis pela parentela que temos e pela forma como convivemos com ela.

Ao se renovar, o homem transformará o mundo. Não devemos voltar nossa atenção para modificar as coisas de fora, mas para aprimorar ou despertar as coisas da nossa intimidade.

É antigo o hábito que desenvolvemos de procurar no mundo exterior uma desculpa para tudo o que ocorre de negativo em nossa existência. Culpar os outros pelo que nos acontece é cultivar a ilusão de que não somos nós que atraímos nossos conflitos e dificuldades. É preciso entender que as energias mentais que irradiamos são responsáveis por tudo o que atraímos em nossa vida. Devemos assumir essa responsabilidade perante a própria existência.

A aprendizagem é nossa e ninguém poderá fazê-la por nós, assim como nós não poderemos fazê-la pelos outros. Quanto mais depressa aprendermos isso, menos sofreremos e mais rápido encontraremos harmonia no lar.

Criamos uma lista enorme de culpados aos quais atribuímos a responsabilidade pelo nosso destino infeliz – desajustes da família atual, erros das vidas passadas, ações doentias de Espíritos perturbadores. Acreditamos, enfim, que somos vítimas indefesas e impotentes de tudo e de todos. A teoria da culpa encontrou uma imensa massa de adeptos nos dias atuais.

"*De onde provêm as semelhanças morais que existem, algumas vezes, entre pais e filhos? São Espíritos simpáticos, atraídos pela semelhança de suas tendências.*" [1]

No processo reencarnatório, os Espíritos são "atraídos pela semelhança de suas tendências"; portanto, é nosso reino interior que atrai aqueles que serão nossos familiares, criaturas com específica estrutura íntima e valores ajustados a um determinado padrão evolutivo. Nelas encontraremos apoio para aprimorar nossas capacidades e estímulo para despertar nossas habilidades e possibilidades inatas.

"As semelhanças morais que existem, algumas vezes, entre pais e filhos" [1] são "tipos de mentalidade" que se identificam por suas conquistas ou carências, a fim de se reorganizarem interiormente ou continuarem o despertar dos potenciais adormecidos da alma. Em muitos casos, nunca se conheceram em outras existências, mas se unem por possuírem as mesmas inclinações, os mesmos conflitos, hábitos, vocações, valores e desajustes psicológicos. Todavia, seja qual for o tipo de união, a relação que se estabelece entre eles é para que vençam a si mesmos, reajustem as dificuldades mentais, emocionais e sentimentais e prossigam efetuando a renovação da própria alma.

[1] *Questão 207*

Os pais transmitem, frequentemente, aos filhos uma semelhança física. Transmitem também uma semelhança moral?

"Não, uma vez que têm alma ou Espírito diferentes. O corpo procede do corpo, mas o Espírito não procede do Espírito. Entre os descendentes das raças não há senão consanguinidade."

De onde provêm as semelhanças morais que existem, algumas vezes, entre pais e filhos?

"São Espíritos simpáticos, atraídos pela semelhança de suas tendências."

Renovação

O progresso chega à humanidade gradativamente, com a mesma sutileza com que o dia faz desaparecer a noite; ele desce quase que imperceptível sobre as criações e as criaturas como um orvalho fecundo e fundamental à nossa vida de Espírito imortal.

O doutor Carl Gustav Jung definiu *sincronicidade* como coincidência significativa de um estado psíquico com um ou vários fatos externos correspondentes; ocorrência entre eventos psíquicos e físicos. São acontecimentos coincidentes, no tempo e no espaço, que, embora aparentemente inexplicáveis, estabelecem relações conexas do ponto de vista psicológico.

A noção dada por Jung de sincronicidade pode ser em parte reconhecida como a "dinâmica interligação" entre a alma e o mundo material. A vida assemelha-se a um fluxo multidimensional pelo qual as criações e as criaturas estão passando no Universo. Vivemos interagindo, de forma invisível, com muitas outras realidades ainda desconhecidas e ignoradas no mundo moderno.

Determinados fenômenos sincronísticos escapam da observação do princípio de causalidade, ou seja, eles ainda não podem ser analisados e ponderados materialmente. A ciência atual ainda não chegou a entender como a lei de causa e efeito funciona em determinados eventos e circunstâncias transcendentais. Entretanto, fenômenos sincronísticos não podem ser considerados acasos. "(...) o acaso é cego e não pode produzir os efeitos da inteligência. Um acaso inteligente não seria mais o acaso."[1] Podemos dizer, de modo figurado, que o acaso é o pseudônimo do Criador, quando não quer deixar transparecer a assinatura de sua obra.

Encontros inesperados com pessoas que nos mostram "casualmente" caminhos que há anos procurávamos e não sabíamos onde e como encontrar; auxílios financeiros que apareceram no "momento exato" em que a tribulação mais se agravava; sugestões ou opiniões que recebemos em uma conversa "aparentemente" informal e que muito contribuíram para nosso autoconhecimento; livros que escolhemos "de modo aleatório" e que trouxeram significativo auxílio para a solução de problemas que estávamos atravessando. Deparamos "subitamente" com artigos numa revista cujo tema ainda há pouco comentávamos com um amigo ou familiar, e outros tantos exemplos.

Essa suposta "sucessão de acasos", vivida por inúmeras criaturas, revela a existência de leis espirituais desconhecidas que regem e guiam o progresso de todos os seres humanos.

As inexplicáveis "coincidências" que acontecem em nossa vida geralmente colaboram para nossa renovação espiritual ou crescimento interior. Se utilizarmos uma visão superficial, essas "casualidades" se apresentarão como acontecimentos misteriosos e obscuros, mas, se nos aprofundarmos, veremos que precisamos muito aprender sobre o poder onisciente de Deus em nós, e que seus domínios ainda nos permanecem insondáveis.

As leis divinas ou naturais são o "cordão umbilical" que liga tudo e todos com a Fonte Criadora. Por isso, Jesus exortou a nossa ligação espiritual, dizendo: "Eu sou a videira e vós os ramos."[2]

Os Espíritos Superiores asseveram a Allan Kardec que "*(...) o homem deve progredir sem cessar e não pode retornar ao estado de infância. Se ele progride é porque Deus quer assim.*" [3]

As leis que nos regem contêm a onipresença, a onisciência e a onipotência divinas. São as mesmas para todos os membros do Universo, mas ajustadas ao grau evolutivo de cada um deles. "(...) *o homem deve progredir sem cessar* (...)", uma vez que a renovação espiritual não é produto de um ensinamento, mas está em germe em todos os seres. Querendo ou não, progrediremos, já que "*Deus quer assim*".

O progresso chega à humanidade gradativamente, com a mesma sutileza com que o dia faz desaparecer a noite; ele desce quase que imperceptível sobre as criações e as criaturas como um orvalho fecundo e fundamental à nossa vida de Espírito imortal.

Nada vem do nada. Os caminhos renovadores quase sempre aparecem em nossa jornada evolutiva como possíveis "coincidências", ou mesmo como acontecimentos ilógicos e enigmáticos; na realidade, são experiências imprescindíveis que atraímos e que se encaixam perfeitamente nas nossas necessidades de renovação interior.

O despertar vem de um modo que nem imaginamos. Nesses momentos perguntamo-nos: O que será que Deus quer de mim?

A psicologia junguiana chama as "coincidências" que ocorrem em nossas vidas de "fenômenos sincronísticos", mas, ajustando esses conceitos aos postulados da fé espírita, poderemos nomeá-las de "intervenção divina" ou "desígnios de Deus". No entanto, seja qual for a denominação que utilizarmos, tenhamos a certeza de que tudo aquilo que nos acontece tem como objetivo profundo a renovação da alma e como propósito o bem comum.

O progresso que atingimos hoje é compatível com o crescimento que tivemos ontem. Cada passo dado a caminho da maturidade é proporcional à etapa percorrida anteriormente.

Avançamos pelo Universo em conjunto harmônico com os outros seres humanos. A orquestra cósmica da qual compartilhamos é muito mais ampla do que podemos imaginar, e cada um precisa dar sua cota de participação na sinfonia do mundo. Somos parte do Universo e ele é parte de nós.

[1] *Questão 8 de "O Livro dos Espíritos"*

[2] *João, 15:5*

[3] *Questão 778*

O homem pode retrogradar até o estado natural?

"Não, o homem deve progredir sem cessar e não pode retornar ao estado de infância. Se ele progride é porque Deus quer assim. Pensar que ele pode retroceder à sua condição primitiva, seria negar a lei do progresso."

Criatividade

Criar é a capacidade inata de desestruturar algo e reestruturá-lo em forma totalmente diferente e original.

Conforme a excelência do pensamento de Voltaire, "o mundo me intriga, e não posso imaginar que este relógio exista e não haja relojoeiro".

A energia do Cosmo Universal produz de maneira constante as mais novas e admiráveis formas. Duzentas rosas amarelas são estruturalmente diferentes entre si, e num vasto canteiro de roseiras vermelhas nenhuma produz, no mesmo período, o mesmo número de botões e nem mesmo a exata configuração nas flores. Num país de milhões de habitantes do mesmo grupo étnico, cada um é dessemelhante e único. Essa é a criatividade originária das leis naturais ou divinas.

Em princípio, todos os homens podem criar. Os animais produzem, às vezes, coisas notáveis e surpreendentes, mas não criam, somente utilizam o instinto – indício da existência e desenvolvimento da criatividade em potencial. Os favos de mel, os ninhos dos beija-flores, a sociedade das formigas, as barragens dos castores vêm-se repetindo iguais desde a antiguidade babilônica, assíria e romana.

Na atualidade, a antropologia afirma que não há um só povo ou tribo, por mais rudimentar ou primitivo que seja, que não exiba uma cultura peculiar com inconfundíveis rasgos de originalidade criativa.

O ato de criar está intimamente ligado ao "senso de progresso" que existe em cada um de nós. Criar é a capacidade inata de desestruturar algo e reestruturá-lo em forma totalmente diferente e original.

Todos nós saímos do "sopro celeste" do Todo-Poderoso. Na Inteligência Suprema é que nos plasmamos e vivemos, como toda a criação; é neste "hálito sagrado" que pulsam galáxias e estrelas e movimentam-se os mundos e os seres.

"O Deus que fez o mundo e tudo o que nele existe, o Senhor do céu e da terra, não habita em templos feitos por mãos humanas. Também não é servido por mãos humanas, como se precisasse de alguma coisa, ele que a todos dá vida, respiração e tudo o mais."[1]

Nós, criaturas divinas, podemos co-criar, mas somente Deus é o Sumo Criador de todas as coisas.

O reino mental de cada ser humano é, antes de tudo, a materialização do próprio mundo interior. Nossos pensamentos, sentimentos e emoções são elementos dinâmicos de indução energética. Todos nós exteriorizamos e assimilamos energia mental, influenciando os outros e, ao mesmo tempo, sendo afetados por eles.

O homem só é capaz de modificar e moldar o mundo ao seu derredor se mudar sua própria concepção e conduta interior. Basta que ele transforme a si mesmo para ver o mundo a sua volta se alterar com ele. Atos e atitudes impulsionam as mais recônditas energias dos indivíduos, libertando-os ou aprisionando-os por meio das forças vivas e plasmadoras do pensamento. Cada pessoa vive em seu "mundo íntimo", e há tantos mundos quanto pessoas. Todos esses mundos são apenas fragmentos ou aspectos do mundo invisível.

Não obstante, é preciso considerar que há limites na cocriação humana, pois todos nós apresentamos características peculiares e, portanto, há bloqueios naturais da condição evolutiva tanto em nossa consciência intelectual como na emocional. Existem mecanismos que operam de forma que assimilem e concretizem apenas o que se pode entender ou fazer diante daquela informação ou acontecimento.

Assim considerando, a criatura, encarnada ou não, se poderá reservar a tarefa de pensar e criar, porém salvaguardando sua possibilidade evolutiva. Por exemplo, nascer e morrer são eventos naturais e necessários na Terra, mas vedados à ação consciente de agir e criar das almas de baixo grau evolutivo.

O nascimento tanto como a morte na Terra podem ser vistos como fenômenos iguais; todavia, nascer ou morrer são fenômenos que podem apresentar particularidades, características distintas, pois cada Espírito revela diversidades no grau de desenvolvimento mental – vibra em específico estágio evolutivo.

Os Espíritos esclarecidos recebem na reencarnação um preparo individual por parte dos mensageiros especializados nessa área e podem atuar através de seu pensamento e vontade no processo de recorporificação, por meio de sua criação contínua. O conhecimento superior caminha junto com a arte de criar – compõe, decompõe e recompõe.

Quanto aos Espíritos ignorantes, podemos fazer uma comparação visando a um maior esclarecimento e clareza sobre como ocorre neles o processo reencarnatório: acontece como a germinação de uma semente – o embrião ou planta incipiente, que se desenvolveu a partir da planta-mãe, ao separar-se dela, aguarda um certo período de vida latente até que as condições do meio externo sejam exatamente adequadas ao início de seu crescimento autônomo, isto é, automaticamente, seguindo as sábias leis da Natureza.

Temos a certeza de que, em qualquer grau evolutivo em que estivermos estagiando, a reencarnação (planejada ou automática), para nós, funciona como lei divina, visto que objetiva o nosso desenvolvimento em todos os sentidos existenciais.

Tomemos como exemplo: um casal de Espíritos levianos, encarnados no mundo físico, pode-se unir e gerar um ou mais filhos. Esse casal cria e age sem conhecimento de causa quanto aos valores da reencarnação, mas, em virtude de seu livre-arbítrio, pode usar simplesmente seu impulso instintivo ou biológico e procriar por automatismo fisiológico. Da mesma maneira, as criaturas imaturas ou infantilizadas, no mundo astral, apesar de não possuírem plena consciência da utilidade do processo da recorporificação, podem, por meio de seu livre-arbítrio, criar condições para realização ou concretização de certos fenômenos naturais da vida de maneira inconsciente. Por outro lado, é importante lembrar que, em um nível incomensurável, tudo se mantém sob a supervisão da Ordem Divina.

Nada pode ser considerado simples acaso. O que chamamos de acaso nada mais é do que a causa obscura de um efeito incompreendido. No Universo, por trás de tudo, há um objetivo providencial.

Os Espíritos ignorantes ou imprudentes *"não sabem mais que os homens"*.[2] Entretanto, são instrumentos de Deus, porquanto participam e cooperam, de forma inconsciente, com a harmonia do Cosmo. O Espírito imaturo, ao recorporificar ou desencarnar na Terra, *"não sabe quais os acontecimentos que o aguardam. Os detalhes dos acontecimentos nascem das circunstâncias e da força das coisas(...). Se, passando por uma rua, uma telha te cair na cabeça, não creias que estava escrito, como vulgarmente se diz."* [3]

Tudo no Universo tem um aspecto divinamente criativo e educacional. Mesmo que não consigamos entender de momento essa causa, mais tarde tomaremos consciência de que era unicamente produto de nosso limitado estado de compreensão e discernimento evolutivo.

[1] *Atos dos apóstolos, 17:24 e 25*

[2] *Questão 239 de "O Livro dos Espíritos"*

[3] *Questão 259*

Se o Espírito pode escolher o gênero de provas que deve suportar, segue-se daí que todas as tribulações que experimentamos na vida foram previstas e escolhidas por nós?

"Todas, não é a palavra, pois não se pode dizer que escolhestes e previstes tudo o que vos acontece no mundo, até as menores coisas; escolhestes o gênero de provas, os detalhes são consequência da vossa posição e, frequentemente, dos vossos próprios atos. Se o Espírito quis nascer entre malfeitores, por exemplo, ele sabia a que arrastamentos se expunha, mas não cada um dos atos que viria a praticar, e que são resultado de sua vontade ou do seu livre-arbítrio. O Espírito sabe que escolhendo tal caminho terá de suportar tal gênero de luta; sabe, também, a natureza das vicissitudes que enfrentará, mas não sabe quais os acontecimentos que o aguardam. Os detalhes dos acontecimentos nascem das circunstâncias e da força das coisas. Somente são previstos os grandes acontecimentos que influem no seu destino. Se tomas um caminho cheio de sulcos profundos, sabes que deves tomar grandes precauções para não caíres, e não sabes em qual deles cairás; pode ser, também, que não caias se fores bastante prudente. Se, passando por uma rua, uma telha te cair na cabeça, não creias que estava escrito, como vulgarmente se diz."

Criatividade

Deus não está afastado no espaço incomensurável e desconhecido do homem, mas, imanente na própria Natureza. Ele é, de modo geral, a Luz eterna e transcendente no processo evolutivo e criativo de tudo o que existe no Universo.

Há séculos, a admirável capacidade de percepção do reino animal desperta no homem enorme curiosidade e, mesmo hoje, continua a ser um dos mais complexos e pesquisados ramos de toda a ciência.

Um dos atributos fundamentais da criatura humana é fazer perguntas sobre o mundo em que vive. Quer saber exatamente como as coisas acontecem e compreendê-las. A propósito, a observação e a investigação sobre o funcionamento da vida dentro e fora de nós é fato constatado, que se torna mais evidente à medida que a evolução espiritual avança no seio da humanidade.

Nos últimos anos, os biólogos adquiriram uma consciência vigorosa de que o padrão de conduta dos animais é governado não só pelos estímulos internos, mas, igualmente, pelos estímulos externos. O comportamento é, portanto, regulado tanto dentro quanto fora, ou, como geralmente ocorre, por uma interação entre ambos.

Muitos animais têm apresentado verdadeiras proezas de "orientação inata", que são consideradas extraordinárias. O exemplo tradicional é a migração de aves e de peixes. Os filhotes inexperientes dessas espécies percorrem distâncias enormes com seus próprios recursos naturais, voando ou nadando dias e noites. Depois retornam aos lugares de origem – situados a milhares de quilômetros –, de onde saíram seus antecessores.

As enguias viajam na escuridão do fundo dos oceanos para locais de desova, e suas proles, criaturas minúsculas, percorrem, vencendo as adversidades das águas, todo o caminho de volta, penetrando os rios muitos quilômetros adentro, até encontrarem o hábitat originário de seus familiares. Os salmões fazem o inverso: percorrem os mares para desovar no mesmo local do rio onde nasceram anos antes.

Aves aquáticas – os gansos, por exemplo – orientam-se visualmente pelo Sol e por certos pontos de referência terrestres. Mas viajam da mesma forma sem esses auxílios. Voam acima ou abaixo das camadas de nuvens, ou entre elas, durante o dia e a noite, e, apesar disso, chegam sempre a seu destino. Muitos desses sentidos inatos observados pelos cientistas são completamente desconhecidos; eles não sabem como funcionam. Para a ciência atual, a programação interna ou o aparelhamento sensorial que cuida da evolução genética, das reprogramações internas, das migrações, da seleção natural, dos hábitos das espécies e outras tantas complexidades do reino irracional são enigmas da Natureza a ser desvendados.

Todo e qualquer animal, em determinada época de sua existência, deixa um lugar e se encaminha para outro. Seja somente poucos centímetros, em busca do acasalamento ou de alimentação, seja quase uma volta ao mundo na fase da migração. O animal possui um sofisticado "aparelho sensorial" ou um notável "relógio interno" que o mantém voltado para a direção exata, apropriada à sua manutenção e à sobrevivência da espécie.

Os animais, no entanto, não são simples "autômatos de reflexos" ou escravos da genética. Eles possuem em si um princípio imanente que faz com que respondam, com criatividade evolucionista, diante de novos ambientes, utilizando a capacidade para se adaptar às diferentes circunstâncias, obviamente dentro de certos limites. Animais e plantas se desenvolvem de modo diverso e criativo em climas que sofreram alterações ambientais e podem, através de longos períodos de tempo, mudar suas "características de comportamento", bem como as "características estruturais".

Deus é o agente causal ou a força interna e ativa que rege a tudo que existe. A Causalidade Celestial é, ao mesmo tempo, a força que transcende e que está inseparavelmente contida no âmago de cada ser vivo.

A variabilidade genética é continuamente criada e criativa e o processo evolutivo induz todas as espécies a se adaptar em seu meio, livrando-as do perigo da extinção e, ao mesmo tempo, expandindo o seu raio de ação ou conquistando novos hábitats. As energias dinâmicas do Poder Divino continuam sempre presentes e espontâneas, animando e vitalizando as manifestações internas e externas da própria vida.

"*(...) O instinto pode também conduzir ao bem; ele nos guia quase sempre e, algumas vezes, com mais segurança que a razão. Ele não se transvia nunca. (...) O instinto varia em suas manifestações, segundo as espécies e suas necessidades. Nos seres que têm a consciência e a percepção das coisas exteriores, ele se alia à inteligência, quer dizer, à vontade e à liberdade.*"[1]

No homem, o instinto é uma clareza súbita que nasce da mente serena e atenta e que logo se faz acompanhar pela luz da inteligência. Momentos instintivos às vezes nos elucidam muito mais do que anos e anos de experiência intelectual.

Do instinto que carregamos no imo da própria alma, emergem ideias e decisões muito mais exatas e precisas do que aquelas provenientes de nosso acervo cultural. Ele é um potencial que se manifesta espontaneamente, e não algo conquistado a partir do convencionalismo humano.

Não estamos aqui nos referindo ao instinto do ponto de vista moralista ou como alguma coisa ligada aos bons costumes, nem mesmo o classificamos de "superior" (que conduz à elevação da alma), ou "inferior" (que leva à satisfação de necessidades corporais). Consideramo-lo uma possibilidade inerente a todos, ou um toque inato de inspiração que tem como função esclarecer verdades ignoradas.

A criatividade evolucionista não é privilégio dos seres humanos; em princípio, é um processo cósmico comum a tudo que existe. O Deus descrito pelos teólogos medievais e da Renascença colocava o homem separado da naturalidade da Vida Universal. O poder da Inteligência Suprema em tudo penetra e opera, não somente nas criaturas, mas, do mesmo modo, em todas as criações.

Deus não está afastado no espaço incomensurável e desconhecido do homem, mas, imanente na própria Natureza. Ele é, de modo geral, a Luz eterna e transcendente no processo evolutivo e criativo de tudo que existe no Universo. Precisamos redescobrir e, igualmente, celebrar o constante reflorescimento do Poder Supremo no mundo vivo em que existimos.

[1] *Questão 75*

É exato dizer-se que as faculdades instintivas diminuem à medida que aumentam as faculdades intelectuais?

"Não; o instinto existe sempre, mas o homem o negligencia. O instinto pode também conduzir ao bem; ele nos guia quase sempre e, algumas vezes, com mais segurança que a razão. Ele não se transvia nunca."

Por que a razão não é sempre um guia infalível?

"Ela seria infalível se não fosse falseada pela má educação, pelo orgulho e o egoísmo. O instinto não raciocina; a razão permite a escolha e dá ao homem o livre-arbítrio."

Nota *- O instinto é uma inteligência rudimentar que difere da inteligência propriamente dita, em que suas manifestações são quase sempre espontâneas, enquanto que as da inteligência são o resultado de uma combinação e de um ato deliberado.*

O instinto varia em suas manifestações, segundo as espécies e suas necessidades. Nos seres que têm a consciência e a percepção das coisas exteriores, ele se alia à inteligência, quer dizer, à vontade e à liberdade.

Perdão

Perdoar ou desculpar alguém é bom e saudável, mas viver desculpando indefinidamente os erros alheios pode ser muito perigoso. As emoções enterradas e não verbalizadas se manifestarão de forma negativa em outras situações e com diferentes pessoas em nosso dia a dia.

Toda criatura deseja a paz e a felicidade e quer afastar de si o sofrimento e a amargura. Essa é a "meta de excelência" de todos os seres humanos.

O entendimento do nosso "melhor" depende do grau de raciocínio lógico ou da situação que estamos vivenciando. Todo procedimento é compreensível e proveitoso em determinado contexto de vida.

Quando tomamos atitudes baseadas em mágoas e ressentimentos, é porque supúnhamos que isso nos parecia "melhor". Sempre agimos conforme a nossa maturidade espiritual do momento para decidir e resolver nossas dificuldades existenciais; ou melhor, tomamos decisões de acordo com nossas possibilidades de percepção/interpretação e também segundo nossa capacidade e habilidade conquistadas.

Damos o que temos, fazemos o que podemos. Apenas se dá ou faz aquilo que se possui ou pode. Precisamos respeitar nossas limitações mentais, emocionais e espirituais, bem como as dos nossos companheiros de jornada.

Pressupõe-se que, quando alguém pede desculpa, é porque reconheceu seu erro e solicita reconciliação pelo ato impensado e pelo comportamento equivocado.

Usamos comumente o termo "desculpa" quando queremos nos redimir perante alguém a quem causamos algum dano ou prejuízo. É a atitude de quem se conscientizou de ter ofendido, contrariado ou aborrecido outrem. Em outras palavras, quem pede desculpa quer dizer: retira a culpa que há em mim, pois me sinto responsável pelo mal que te causei.

No entanto, existem indivíduos que, a cada momento e de forma irrefletida, fazem uso da palavra "desculpa". Repetem-na sistematicamente durante anos e anos, porém continuam perpetuando os mesmos erros e agressões.

Solicitam mil desculpas, mas nunca se soltam das amarras das atitudes desastrosas. Pedem com insistência compadecimento e paciência, e jamais renovam seus comportamentos; continuam atormentando a vida alheia.

Acostumaram-se a pedir desculpas como se essa palavra fosse uma "varinha de condão" que desfizesse de um instante para outro, num passe de mágica, todas as mágoas e perdas, afrontas e injúrias, sensações desagradáveis, desgostos e aborrecimentos causados pelos agravos e indelicadezas que cometeram.

São criaturas que vulgarizaram o termo "desculpa" e o empregam de modo automático, repetindo mensagens contidas num "livro de regras" ou de etiqueta. Não se conscientizaram de sua imaturidade, visto que não perceberam nem reconheceram ainda como concretos os atos e as atitudes inadequados que reproduzem quase todos os dias nos seus mais diversos relacionamentos. Reincidem nos mesmos erros de forma compulsiva, como se possuíssem uma imposição interna irresistível que as levasse a comportar-se sempre da mesma maneira.

É essencial diferenciar a "desculpa social" da "desculpa conscientizada". A primeira simplesmente atravessa as barreiras da boca de forma impensada; pode ser uma manobra ardilosa ou um pretexto para evitar dificuldades futuras diante de situações difíceis. A pessoa recorre a subterfúgios ou estratagemas para conseguir algo. A segunda sai do "coração conscientizado", da alma verdadeiramente arrependida. "O homem bom, do bom tesouro do coração tira o que é bom..." [1]

Desculpar pode ser o início de um novo tempo de convívio respeitoso, mas também pode ser um eterno jogo psicológico em que apenas se amortecem o desrespeito, a brutalidade e o golpe da ofensa.

"(...) *Aquele que pede a Deus o perdão de suas faltas não o obtém senão mudando de conduta. As boas ações são as melhores preces, porque os atos valem mais que as palavras.*" [2]

"Há mais felicidade em dar que em receber" [3], ensina-nos a narrativa evangélica. Realmente a pessoa que doa sabe, por experiência própria, que é mais feliz quando dá do que quando recebe.

Não exijamos dos outros aquilo que eles ainda não nos podem dar. O ato de perdoar ou o de desculpar verdadeiramente requer amadurecimento e crescimento espiritual e, por consequência, certo grau de evolução.

Perdoar ou desculpar alguém é bom e saudável, mas viver desculpando indefinidamente os erros alheios pode ser muito perigoso. As emoções enterradas e não verbalizadas se manifestarão de forma negativa em outras situações e com diferentes pessoas em nosso dia a dia. Em vez de permitir que alguém nos use e magoe de forma obstinada, estabeleçamos limites e aprendamos a validar nossa dignidade pessoal, desenvolvendo a arte de amar a nós mesmos, para que possamos amar plenamente os outros.

[1] *Lucas, 6:45*

[2] *Questão 661*

Pode-se utilmente pedir a Deus que nos perdoe nossas faltas?

"Deus sabe discernir o bem e o mal; a prece não oculta as faltas. Aquele que pede a Deus o perdão de suas faltas não o obtém senão mudando de conduta. As boas ações são as melhores preces, porque os atos valem mais que as palavras."

[3] *Atos, 20:35*

Perdão

O julgamento precipitado pode vir a ser o "fracasso da compreensão", porque perdoar é, acima de tudo, a habilidade de compreender dificuldades.

O autoperdão consiste em fazer o nosso melhor hoje, abandonar as mágoas do passado e curar as dores do presente e, ao mesmo tempo, legitimar nossos projetos de vida para o futuro.

O passado passou e o único momento que temos é o agora. Basta utilizarmos o perdão e, imediatamente, começaremos a sentir conforto e alívio, pois descarregamos os pesados fardos de culpa, vergonha e perfeccionismo.

Quando erramos, é necessário primeiramente admitir as nossas fraquezas e, em seguida, pedir aos outros que relevem nossas falhas. Somente a partir desse ponto, é que começamos a desfazer as técnicas defensivas e a facilitar a boa comunicação, evitando, assim, a morte do diálogo reconciliador.

O autoperdão é um estado da alma que emerge de nossa intimidade, fazendo-nos aceitar tudo que somos sem nenhum prejulgamento. É quando passamos a entender que nossos aparentes defeitos são, só e exclusivamente, potenciais a ser desenvolvidos. Por sinal, o julgamento precipitado pode vir a ser o "fracasso da compreensão", porque perdoar é, acima de tudo, a habilidade de compreender dificuldades.

À medida que perdoamos nossos desacertos, começamos também a perdoar as faltas dos outros. Quanto mais compreendermos o outro, avaliando e validando o que ele pensava e como se sentia na hora da indelicadeza, mais facilmente aprenderemos a nos perdoar. O ato do não-perdão a nós mesmos nos acarreta a permanência nas sensações desagradáveis e nas energias negativas – resquícios dos dissabores e desencontros da vida.

Perdoar-nos leva ao cultivo do amor a nós mesmos e, por consequência, aos outros; enfim, é a base que mantém a humanidade íntegra e solidária. O autoperdão nos conduz à aceitação plena de nossas potencialidades ainda não desenvolvidas – seja de natureza intelectual, seja de natureza psíquica e emocional – e a uma compreensão maior de que as experiências evolutivas nada mais são que a soma de acertos e erros do passado e do presente.

Os erros acabam-se transformando em lições preciosas e deles podemos retirar as bases seguras para o êxito no futuro.

"*Deus não age jamais por capricho e tudo, no Universo, está regido por leis em que se revelam a sua sabedoria e a sua bondade.*" [1]

"*A sabedoria e a bondade de Deus*" se refletem constantemente nos atos e atitudes de Jesus de Nazaré. No episódio ocorrido na casa do fariseu Simão, uma prostituta atira-se aos pés do Mestre, cobrindo-os de beijos, lavando-os com suas lágrimas, enxugando-os com seus cabelos e untando-os com um óleo perfumado. Ela é perdoada incondicionalmente: "(...) seus numerosos pecados lhe estão perdoados, porque ela demonstrou muito amor. Mas aquele a quem pouco foi perdoado mostra pouco amor" [2].

Deus estava com Jesus e Ele com o Pai; por isso amava, perdoava, estimulava e incentivava a todos sem qualquer distinção.

A Bondade e a Sabedoria Providencial estão e sempre estiveram nos amando e perdoando, não importa o grau da escala evolutiva em que estamos situados ou o que estejamos fazendo. O amor da Misericórdia Divina é incondicional – não depende de nenhum tipo de restrição ou limitação. Ama, simplesmente por amar.

Uma introspecção a respeito desse amor incondicional que a Divindade tem para conosco é extremamente importante para o autoperdão.

Se Deus nos ama e nos aceita como somos hoje, por que haveríamos de tomar uma atitude contrária à postura divina? Entretanto, o autoperdão não significa paralisarmos nossas atividades evolutivas, acomodando-nos em nossas deficiências, fragilidades ou incapacidades, mas, sim, libertar-nos dos fardos pesados da autopunição que carregamos desnecessariamente.

O autoperdão nos traz paz de espírito, habilidade para amar e ser amados e possibilidades para dar e receber serenidade. Ele nos livra do cultivo de uma fixação neurótica em fatos do passado, o qual nos impede o crescimento no presente.

Perdoar-nos elimina a ideia fixa no remorso por algo que aconteceu ontem e a ansiedade do que poderá ser revelado ou vir a acontecer amanhã.

[1] *Questão 1003*

A duração dos sofrimentos do culpado, na vida futura, é arbitrada ou subordinada a alguma lei?

"Deus não age jamais por capricho e tudo, no Universo, está regido por leis em que se revelam a sua sabedoria e a sua bondade."

[2] *Lucas, 7:36-50*

Amor

O amor desenvolve características pessoais, distinguindo e particularizando a criatura. Ao proporcionar-lhe vontade própria e independência, enseja que ela expanda horizontes e dissolva as barreiras onde o padrão e a generalização ergueram paredes.

Nos nossos dias, a maioria dos indivíduos tem conceituado o amor baseando-se tão-só no carinho de uma pessoa por outra, na construção romântica e simplista cultivada em nossa cultura, nos versos ingênuos e sonhadores dos poetas ou no que escuta e vê nos meios de comunicação de massa. Na realidade, trata-se de conceitos egóicos quase sempre retirados das frustrações, das inseguranças, da sensualidade e dos sentidos imediatos ou ilusórios.

O amor é um potencial imanente do ser humano. É um fenômeno natural a ser despertado por todos, e não simplesmente algo pronto e guardado nas profundezas da alma, esperando ser descoberto por alguém a qualquer momento.

O amor está na naturalidade da vida de cada um. É uma capacidade a ser desenvolvida, como a inteligência. Um dia, amar será tão fácil como respirar em uma atmosfera pura ou saciar a sede na água translúcida. No "amor real", nós **desejamos o bem da outra pessoa** e nos alegramos com sua evolução; no "amor romântico", nós **desejamos a outra pessoa** e nos vestimos com o manto da possessividade. Por não amarmos é que a indiferença e o desprezo vigoram no seio da sociedade.

Quem ama se torna, gradativamente, um indivíduo pleno; por isso, nem sempre é conveniente aos tiranos e dominadores nos incentivar ao amor. Não nos querem libertos, originais e criativos. A melhor forma de destruir um homem é impedi-lo de amar, exterminando, assim, sua naturalidade e espontaneidade.

A sociedade atual, como as de outrora, não encoraja ou estimula os indivíduos a tomar posse de sua mais completa individualidade. Para nossa melhor elucidação: *in-diví-duo* = não dividido em dois. Do latim *individuus*: indivisível, uno, que não foi separado.

Os governantes injustos e déspotas **querem comandar os corpos**; os religiosos fundamentalistas – vinculados a todo e qualquer movimento conservador que enfatiza a obediência rigorosa e literal dos textos de um conjunto de princípios básicos – **querem comandar as almas**. Querem nos reduzir a fantoches, a simulacro de ser humano, que nada sentem ou pensam. Fantoches são dirigidos, só obedecem, não possuem autonomia, não possuem comando da sua vida.

Se houvesse amor entre os homens, não haveria fronteiras. O amor desenvolve características pessoais, distinguindo e particularizando a criatura. Ao proporcionar-lhe vontade própria e independência, enseja que ela expanda horizontes e dissolva as barreiras onde o padrão e a generalização ergueram paredes.

Quando não amamos, ficamos vazios. Há ausência de diversidade e de multiplicidade na vida interior e na exterior. Amar é uma forma básica de bem viver. Nossas estruturas íntimas estão alicerçadas no amor. Sem amor tudo fenece.

Buscamos a religião ou buscamos a Deus porque perdemos contato com o amor.

"Não sabeis que sois um templo de Deus e que o Espírito de Deus habita em vós?" [1], conforme a expressão de Paulo de

Tarso. Por que, então, temos tanta necessidade de buscar a Divindade no exterior ou na superficialidade? A verdadeira religião tem o propósito de nos levar de volta a Deus – ao Amor –, pois, segundo o apóstolo João: "(...) Deus é Amor: aquele que permanece no amor permanece em Deus e Deus permanece nele." [2]

Quando a humanidade aprender a amar, todos nós nos reuniremos em torno de uma só religião – o Amor. Aliás, a única religião professada por Jesus Cristo.

Amar a Deus, amar ao próximo, amar a nós mesmos. Essa é a mais pura essência dos ensinos do Mestre.

"(...) *Aliás, quantos não há que creem amar perdidamente, porque não julgam senão sobre as aparências, e quando são obrigados a viver com as pessoas, não tardam a reconhecer que isso não é senão uma admiração material. Não basta estar enamorado de uma pessoa que vos agrada e a quem creiais de belas qualidades; é vivendo realmente com ela que podereis apreciá-la. Quantas também não há dessas uniões que, no início, parecem não dever jamais ser simpáticas, e quando um e outro se conhecem bem e se estudam bem, acabam por se amar com um amor terno e durável, porque repousa sobre a estima!(...)*" [3]

Durante anos e anos, comentamos e refletimos sobre o que é o amor; que tal analisarmos alguns sentimentos e emoções que quase sempre confundimos com ele?

• Quando sentimos enorme satisfação por estar ao lado de alguém a quem admiramos excessivamente, pelo seu jeito de falar, vestir, andar, satisfação que se intensifica em recepções ou eventos sociais, onde seremos notados, não se trata de amor, mas de exibicionismo ou narcisismo.

• Quando precisamos desesperadamente de outro ser humano para viver ou ser feliz, estabelecendo para nós privilégios exclusivos, ou melhor, quando requeremos um verdadeiro monopólio de afeto, carinho e atenção dessa pessoa, não se trata de amor, mas de carência íntima ou necessidade afetiva.

• Quando vivemos entre crises de ciúme, num clima de frustração, falta de confiança, tristeza e perda de estímulo para viver, lançando mão de qualquer recurso para manter uma pessoa ao nosso lado, mesmo quando sabemos que não somos amados, não se trata de amor, mas de baixa autoestima ou desrespeito a nós mesmos.

• Quando acreditamos que nossa existência perderá o sentido e não suportaremos viver sozinhos sem a presença do outro, reclamando, insistentemente, a presença de alguém ao nosso lado para que possamos nos livrar da insegurança ou da instabilidade emocional, não se trata de amor, mas de dependência ou apego compulsivo.

• Quando achamos que devemos ter o controle absoluto sobre outro ser humano, não respeitando nada nem ninguém, dominando sua vida e acreditando que ele deva ter nossos mesmos objetivos, vontades e interesses, não lhe permitindo a livre expressão e o direito de escolher, não se trata de amor, mas de possessividade ou egoísmo.

• Quando discutimos, com frequência, por motivos banais e nos hostilizamos mutuamente, vivendo entre crises temperamentais e de falta de compreensão, tentando retrucar as ofensas para compensar a insatisfação afetiva ou a insaciabilidade sexual, não se trata de amor, mas de paixão ou simples desejo.

Mesmo aquele que tem pouco amor em seu coração já possui uma pequenina chama que lhe ilumina o caminho nas tempestades escuras da existência humana. A luz de uma simples vela na escuridão da noite pode nos guiar seguramente e

– por que não? – também auxiliar os outros companheiros do caminho. Na imensidão da névoa noturna, um humilde vaga-lume consegue ser visto a relativa distância.

Os nossos diminutos anseios de amor assemelham-se a tochas vivas que nos conduzem por entre os abismos e despenhadeiros que enfrentamos nas labutas da vida terrena.

[1] *I Coríntios, 3:16*

[2] *I João, 4:16*

[3] *Questão 939*

Visto que os Espíritos simpáticos são levados a unir-se, como se dá que, entre os Espíritos encarnados, a afeição não esteja, frequentemente, senão de um lado, e que o amor mais sincero seja recebido com indiferença e mesmo repulsa? Como, de outra parte, a afeição mais viva de dois seres pode mudar em antipatia e, algumas vezes, em ódio?

"Não compreendeis, pois, que é uma punição, mas que não é senão passageira. Aliás, quantos não há que creem amar perdidamente, porque não julgam senão sobre as aparências, e quando são obrigados a viver com as pessoas, não tardam a reconhecer que isso não é senão uma admiração material. Não basta estar enamorado de uma pessoa que vos agrada e a quem creiais de belas qualidades; é vivendo realmente com ela que podereis apreciá-la. Quantas também não há dessas uniões que, no início, parecem não dever jamais ser simpáticas, e quando um e outro se conhecem bem e se estudam bem, acabam por se amar com um amor terno e durável, porque repousa sobre a estima! É preciso não esquecer que é o Espírito que ama e não o corpo, e, quando a ilusão material se dissipa, o Espírito vê a realidade.

Há duas espécies de afeições: a do corpo e a da alma e, frequentemente, se toma uma pela outra. A afeição da alma, quando pura e simpática, é durável; a do corpo é perecível. Eis porque, frequentemente, aqueles que creem se amar, com um amor eterno, se odeiam quando a ilusão termina."

Amor

O amor nos põe à disposição o mais frutífero e abençoado dos terrenos para o crescimento interior. Esse "solo fecundo", quando fertilizado pelo afeto real, nos faz abrir mão da ilusão de possuir toda a verdade, eliminando, em consequência, nossas síndromes de inflexibilidade.

A condição primordial para que possamos realmente partilhar o amor é não impedir o outro de crescer como indivíduo distinto de nós. Quando bloqueamos o crescimento de quem amamos, a relação de afetividade fica segmentada por montanhas de frustração e desapontamento.

"A justiça consiste no respeito aos direitos de cada um. (...) O direito estabelecido pelos homens, portanto, não está sempre conforme a justiça. Aliás, ele não regula senão certas relações sociais, enquanto que, na vida particular, há uma imensidade de atos que são unicamente da alçada do tribunal da consciência." [1]

O "*respeito aos direitos de cada um*", a que se referem os Guias Espirituais, está fundamentado, acima de tudo, nos bens imortais ou valores íntimos que conquistamos e que nos dão o direito de uso, desfrute e disposição, sem desacatar, afrontar ou impedir, no entanto, o crescimento das pessoas com quem convivemos.

O ultraje e o desrespeito no amor têm como "pano de fundo" certas características psicológicas de indivíduos que negam seus próprios temores, inseguranças e fraquezas e que se compensam utilizando comportamentos autoritários, possessividade e arrogância.

No amor não é preciso viver como se estivéssemos num "torneio", tentando medir forças ou exibir a importância de nosso valor por meio de imposições, discussões e disputas diárias. O respeito legitima e valoriza o amor, que sempre vem acompanhado de atenção, colaboração, companheirismo e afetuosidade.

Quando amamos alguém, o melhor a fazer é mostrar-lhe nossa "visão de mundo". No entanto, devemos dar-lhe o direito de aceitar ou de recusar nossas ideias e pensamentos, sem causar-lhe nenhum constrangimento nem utilizar expressões de subordinação.

Eis algumas notas importantes para todos aqueles que pretendem cultivar o amor pleno:

• respeitar o valor das diferenças pessoais;

• evitar atitudes de possessividade afetiva;

• admitir que todos estamos sujeitos ao erro;

• abandonar a ideia de ser compreendido em tudo;

• assumir a responsabilidade pelos atos que praticar;

• não esquecer a própria identidade;

• jamais querer mudar as pessoas pelos seus pontos de vista;

• usar sempre a sinceridade como defesa;

• perceber suas limitações para poder compreender as dos outros;

• entender que, em se tratando do amor, todos somos ainda aprendizes.

No que diz respeito a laços afetivos, por mais envolvimento que haja em termos de simpatia, ternura e anseio, a dinâmica que nos manterá unidos a outra pessoa será invariavelmente o respeito mútuo. Se desejarmos conviver bem afetivamente, deveremos nos empenhar na aquisição da sabedoria interior, que é sempre uma tarefa pessoal.

Para atingirmos a plenitude do amor, é necessário nos libertarmos das crises de onipotência, pois somente admitindo nossa vulnerabilidade é que criaremos uma situação favorável para o êxito no amor.

O amor nos põe à disposição o mais frutífero e abençoado dos terrenos para o crescimento interior. Esse "solo fecundo", quando fertilizado pelo afeto real, nos faz abrir mão da ilusão de possuir toda a verdade, eliminando, em consequência, nossas síndromes de inflexibilidade.

[1] *Questão 875*

Como se pode definir a justiça?

"A justiça consiste no respeito aos direitos de cada um."

O que determina esses direitos?

"Duas coisas os determinam: a lei humana e a lei natural. Tendo os homens feito leis apropriadas aos seus costumes e ao seu caráter, essas leis estabeleceram direitos que puderam variar com o progresso dos conhecimentos. Vede se vossas leis de hoje, sem serem perfeitas, consagram os mesmos direitos da Idade Média. Esses direitos antiquados, que vos parecem monstruosos, pareciam justos e naturais naquela época. O direito estabelecido pelos homens, portanto, não está sempre conforme a justiça. Aliás, ele não regula senão certas relações sociais, enquanto que, na vida particular, há uma imensidade de atos que são unicamente da alçada do tribunal da consciência."

Amor

Vivemos na atualidade a mais grave das privações humanas – a incapacidade de manifestar nosso amor e carinho de modo claro e honesto e sem nenhum receio de ser mal interpretados. É complicado vivermos afastados dos outros; é tão mais fácil abraçarmos calorosamente aqueles a quem queremos mostrar o nosso afeto, quebrando a distância que nos separa deles.

Os livros sagrados das religiões de todos os tempos sempre ensinaram como mandamento supremo o amor.

O verdadeiro sentido da religiosidade é a união amorosa que interliga uns aos outros como filhos do mesmo Pai. A ternura é uma poderosa fonte de sustentação das almas. Exercitemos o amor, pois esse nobre sentimento somente se efetiva quando expressado em atos e atitudes.

A Religião Universal consiste basicamente no cultivo do amor e da liberdade, além da ajuda generosa em favor das criaturas e da harmonia cósmica, o que nos levará a perceber a diferença entre o ilusório e temporal e o concreto e verdadeiro.

O real sentido da religiosidade deve levar-nos ao amor e Àquele que é o Amor Maior. A propósito, a melhor forma de estar vinculado a Deus é sermos partidários do amor, da fraternidade e da união entre os homens.

O apóstolo João narra no Novo Testamento que certa ocasião o Mestre estava reunido na intimidade de seus companheiros de tarefa da Boa Nova quando afirmou: "(...) Em verdade, em verdade, vos digo: um de vós me entregará". Essa revelação causou espanto e indignação entre os seus amigos queridos.

"Estava à mesa, ao lado de Jesus, um de seus discípulos, aquele que Jesus amava. Simão Pedro faz-lhe, então, um sinal e diz-lhe: Pergunta-lhe quem é aquele de que fala. Ele, então, reclinando-se sobre o peito de Jesus, diz-lhe: Quem é, Senhor?" [1]

Um simples carinho, dar as mãos, um "reclinar de cabeça sobre o peito" têm o potencial de renovar uma criatura para a vida inteira. Um abraço cordial em uma pessoa frustrada lhe dará coragem de tentar de novo, até ser bem sucedida. Cada um de nós, com um sincero olhar amoroso, pode remover a barreira que tolhe o deslanchar da vida de alguém.

A atitude terna do apóstolo João para com o Mestre demonstra a afetividade branda e natural com que Jesus ensinava seus discípulos, com eles partilhando gestos de ternura que fluíam espontaneamente.

O Novo Testamento está repleto de narrativas simplesmente comovedoras: Ele "sentia compaixão", "tinha misericórdia" e "amor pelos amigos". Descreve suas emoções, que nasciam de modo abundante em contato com os lírios do campo, os pássaros do céu, junto ao alarido alegre das crianças. As lições evangélicas se reportam à sua capacidade amorosa de participar de reuniões festivas e de confraternização nos lares de amigos. Nas bodas de Caná, Jesus e sua mãe se associam às alegrias de um festim de casamento.

A imensa afeição de Jesus não é diminuta e restrita; ao contrário, é grandiosa e abrangente. Pode-se ver claramente a característica da afetividade do Mestre – criativa comunhão de sentimentos com aqueles que o cercam. Ele é uma criatura excepcional que envolve a todos com seu amor.

Sentir e emocionar-se. Olhar com apreço o próximo, ser amigo. Estender a mão e estar junto, abraçar carinhosamente, são atitudes que podem partir naturalmente de cada um de nós. O medo de nos aproximarmos das pessoas está relacionado a antigas ideias preconceituosas ou a tabus sexuais que exercem sua função de forma subliminar ou inconsciente em nossas vidas. São crenças que nos induzem a crer que qualquer contato físico pressupõe um envolvimento sexual.

Um bloqueio denso e inflexível tomou conta de nossas relações afetivas. Essa nossa inibição pode estar diretamente conectada a uma infância carente de amor e cheia de malícia e preconceitos. A personalidade de uma criança é profundamente influenciada pelos pais e pelos adultos com os quais conviveu no cotidiano do lar, da escola, da rua.

A crença equivocada de que a sexualidade está somente ligada às atividades dos órgãos genitais ou das relações sexuais causou nas crianças de ontem, adultos do hoje, um verdadeiro desastre em seu desenvolvimento social e psicossexual.

Quando nos reportamos à sexualidade, devemos dar ao termo um amplo significado, que envolve a energia sexual como um todo – estética, arte, cultura, sensibilidade, estímulos espirituais, as alegrias vitalizadoras do afeto e outras tantas forças criativas da alma humana.

Propõe o professor Rivail aos representantes do Espírito de Verdade: "*Os encontros que ocorrem, algumas vezes, de certas pessoas e que se atribuem ao acaso, não seriam o efeito de uma espécie de relações simpáticas?*" E os Espíritos respondem à questão com sabedoria: "*Há entre os seres pensantes laços que não conheceis ainda. O magnetismo é o guia desta ciência que compreendereis melhor mais tarde.*" [2]

As "relações simpáticas" e "magnéticas" – afinidade que há entre pessoas que se atraem naturalmente ou similitude no sentir e no pensar que aproxima dois ou mais seres – têm sua origem na energia sexual que, na essência, provém da Criação Divina para formar, renovar e prover todas as criaturas.

Sexualidade e sensualidade não são necessariamente sinônimos, embora uma não anule a outra. A sensualidade pode ser simplesmente uma união física desprovida de qualquer presença do amor. Ela pode estar vinculada à necessidade instintiva do indivíduo em perpetuar a espécie, ou ser meramente um desejo pessoal de satisfazer a carência de duas pessoas. Sem amor e afeição, o ato sexual é apenas a expressão de uma necessidade orgânica que se esvai quando termina a carga erótica, não contribuindo em quase nada para o relacionamento afetivo nem para o desenvolvimento do amor.

Nossa necessidade de amor irá existir durante toda a nossa existência de Espíritos imortais. Não importa a idade, o sexo, a instrução cultural e o requinte social de um indivíduo, ele sempre precisará de ternura.

Vivemos na atualidade a mais grave das privações humanas – a incapacidade de manifestar nosso amor e carinho de modo claro e honesto e sem nenhum receio de ser mal interpretados. É complicado vivermos afastados dos outros; é tão mais fácil abraçarmos calorosamente aqueles a quem queremos mostrar o nosso afeto, quebrando a distância que nos separa deles.

[1] *João, 13:21 e 23 a 25*

[2] *Questão 388*

Os encontros que ocorrem, algumas vezes, de certas pessoas e que se atribuem ao acaso, não seriam o efeito de uma espécie de relações simpáticas?

"Há entre os seres pensantes laços que não conheceis ainda. O magnetismo é o guia desta ciência que compreendereis melhor mais tarde."

Generosidade

A generosidade não consiste em doar de forma abundante e descontrolada, mas em como e quando doar adequadamente.

A criatura generosa é alguém que aprendeu a auxiliar os outros sem se ver obrigada a tomar para si os infortúnios que não lhe pertencem. Socorre os sofredores sem emaranhar-se na sua problemática emocional. Procura ser condescendente com as aflições alheias, mas não se envolve nela. Ou melhor, não tenta carregar a cruz do mundo nas atividades que visam abrandar as dores terrenas.

O generoso não vive dilemas, pois aprendeu que não é necessário sofrer como um mártir, mas somente ser solidário e estar disposto a cooperar com as pessoas e apoiá-las sempre em tudo o que estiver ao alcance de suas possibilidades físicas e psicológicas.

Para auxiliar não precisamos passar todo o tempo obcecados por pessoas de quem gostamos, ou pensando de modo compulsivo na melhor maneira de ajudá-las. Há criaturas tão absorvidas nos problemas alheios que não lhes sobra tempo para perceber e solucionar os seus.

Outras há que se tornam incapazes de viver a própria vida, sentindo-se responsáveis por todos os conflitos de parentes e amigos, não permitindo que eles se responsabilizem por seus atos. Carregam o fardo dos outros, não lhes dando a oportunidade de aprender por si mesmos a resolver as próprias dificuldades existenciais nem a compreender que, com o decorrer do tempo, a prática dessas experiências lhes proporcionaria viver com mais segurança e autonomia.

Uma das ferramentas básicas que podemos utilizar em benefício das pessoas é manter certa "distância psíquica" delas. Isso não quer dizer que, ao nos distanciarmos emocionalmente, deixaremos de nos importar com elas, ou de amá-las, mas de abandonarmos a angústia de viver envolvimentos neuróticos, na ânsia de tudo resolver, decidir e compreender.

Desligar-se ou distanciar-se não é recusar a ajuda afetuosa, nem viver uma aceitação passiva e resignada, mas evitar relacionamentos desgastantes e perturbadores. É deixarmos de nos alimentar de sentimentos e emoções desvairados e de relações patológicas que nos desviam de problemas prioritários para resolver. Cada ser humano é responsável por si mesmo; por isso, precisamos perceber os problemas que não são nossos, cuja solução não nos pertence. A ansiedade e a preocupação não ajudam em nada.

Esse "distanciamento psíquico" pode ser a solução benéfica que tanto buscamos. No entanto, nem sempre nos é fácil utilizar a boa vontade desvinculada da área emocional; estamos ainda presos a antigos conceitos e velhos hábitos que nos amarram às crises e aos infortúnios de outrem.

Essa nova conduta quase sempre nos mostra o conflito enquadrado num contexto totalmente diferente, dentro do qual é possível encontrarmos respostas surpreendentes para problemas que pareciam insolúveis.

Ser generoso é entender que o silêncio momentâneo é,

muitas vezes, a melhor ajuda. É saber confiar na ação do Poder Superior e reconhecer que as experiências da vida, certas ou erradas, são as que geram amadurecimento e crescimento espiritual. Aliás, as verdadeiras experiências são a soma dos próprios erros e desenganos que acumulamos ao longo da vida.

Generosidade não é tão-somente uma habilidade adquirida por pessoas privilegiadas; é também uma capacidade latente em todo ser humano. Nós a desenvolvemos gradativamente, acompanhando os ritmos da vida. Um dia, a benevolência será vivenciada por toda a humanidade.

As pessoas generosas fazem o bem espontaneamente; são criaturas que progrediram, uma vez que *"(...) já lutaram outrora e triunfaram. Por isso, os bons sentimentos não lhes custam nenhum esforço, e suas ações parecem todas simples: o bem tornou-se para elas um hábito. Deve-se honrá-las, como velhos guerreiros que conquistaram suas posições."* [1]

A generosidade é o oposto do egoísmo. Enquanto o generoso desfruta liberdade, repartindo o que pode e o que tem, o egoísta vive isolado, querendo segurar tudo e todos ao seu redor.

Egoísmo não é viver a própria vida ao nosso modo, mas desejar que os outros vivam como nós queremos.

O mundo onde moramos depende de nossa colaboração, já que nenhum feito, sentimento ou pensamento passam despercebidos neste sistema de humanidade interdependente do qual fazemos parte. Todos temos que contribuir; ninguém está livre do devotamento à família, amigos e desconhecidos.

O nosso altruísmo e as atitudes de amor influenciam os atos dos outros e, por consequência, criamos na Terra um ambiente renovado que igualmente nos afeta – de forma mental, emocional, social e espiritual. Por outro lado, não podemos nos esquecer de que cada pessoa carrega dentro de si a solução para seus males.

Cada um de nós tem a potencialidade de sustentar seus semelhantes na mesma caminhada evolutiva. Sempre que tivermos a atitude de nutrir alguém, esse ato terá como resultado a nossa autonutrição.

Se o Criador nos deu uma vida social é porque, juntos, podemos amparar os passos vacilantes uns dos outros, enquanto que, sozinhos, podemos tropeçar mais facilmente diante das perigosas trilhas da jornada terrena.

A generosidade não consiste em doar de forma abundante e descontrolada, mas em como e quando doar adequadamente.

[1] *Questão 894*

Há pessoas que fazem o bem por um gesto espontâneo, sem que tenham a vencer algum sentimento contrário; têm elas igual mérito que as que têm de lutar contra sua própria natureza e que a superam?

"As que não têm que lutar é porque nelas o progresso está realizado, já lutaram outrora e triunfaram. Por isso, os bons sentimentos não lhes custam nenhum esforço, e suas ações parecem todas simples: o bem tornou-se para elas um hábito. Deve-se honrá-las, como velhos guerreiros que conquistaram suas posições.

Como estais ainda longe da perfeição, esses exemplos vos espantam pelo contraste e os admirais tanto mais porque são raros. Mas, sabei bem, nos mundos mais avançados que o vosso, o que entre vós é uma exceção, lá é uma regra. Ali o sentimento do bem é espontâneo em todos, porque não são habitados senão por bons Espíritos, e uma só má intenção ali seria uma exceção monstruosa. Eis por que os homens lá são felizes e o será assim sobre a Terra quando a Humanidade estiver transformada, e quando compreender e praticar a caridade na sua verdadeira acepção."

Generosidade

A generosidade tem como síntese perfeita ou fator fundamental a ação dignificadora, que propõe ajuda ao próximo, validando, acima de tudo, sua realidade pessoal.

As criaturas generosas, que aprenderam verdadeiramente a promover o bem, procuram agir com "alteridade", quer dizer, respeito pela natureza das pessoas ou pela condição do que é distinto no outro. Por isso, não interpretam as necessidades alheias baseadas em seu jeito de ver e de sentir, nem adotam uma forma de socorro fundamentada na sua forma individual e personificada de perceber as ocorrências do mundo exterior.

Os generosos são todos aqueles que, quando beneficiam alguém, não subvertem conflitos ou adversidades, nem tentam decifrar através de hipóteses as aspirações e desejos das pessoas, mas as distinguem e as observam, não as "generalizando", quer dizer: não deixam que o acervo de suas experiências de vida passe a ser a verdade que comanda as coisas básicas ou fundamentais dos indivíduos que pretendem auxiliar.

É difícil conceber que uma criatura esteja completamente errada no tocante a qualquer situação complexa. Cada um de nós tem uma parcela da verdade a partilhar ou ensinar. Nossa visão de mundo é só nossa; ninguém pode normalizá-la para nós.

Quanto mais percebermos nossas "generalizações", mais aptos ficaremos para auxiliar nas dores alheias, pois, ampliando nossa consciência, compreenderemos melhor o próprio reino interior, bem como o dos outros. Quase sempre a "generalização" nos impede de fazer uma análise mais acurada daquilo que nos rodeia e de considerar os fatos como realmente aconteceram.

Por exemplo, quando "generalizamos" uma emoção desagradável ocorrida conosco, podemos fazer com que ela influencie toda e qualquer situação semelhante, interligando-a a outras tantas, induzidos que somos a acumular e perpetuar mágoas e ressentimentos.

"Generalizar" é deixar que nosso futuro fique contaminado pela sensação difícil do passado e dar continuidade a essa mesma emoção através da estrada do tempo.

Nenhuma criatura sobre a face da Terra possui a compreensão de toda a verdade. Às vezes nos comportamos como se fôssemos os "guardiões da verdade absoluta", mas o fato é que cada um de nós tem apenas uma diminuta parte dela.

A generosidade tem como síntese perfeita ou fator fundamental a ação dignificadora, que propõe ajuda ao próximo, validando, acima de tudo, sua realidade pessoal.

A natureza do ser benevolente não julga nada nem nomeia ninguém de "normal" ou "anormal"; simplesmente analisa os fatos com imparcialidade e considera os indivíduos como portadores de diferentes filtros mentais, ou melhor, admite que cada um percebe, seleciona, separa ou retém o que para si é essencial ou desejado, segundo seu modelo de vida.

Quando reconhecemos e validamos a nossa pequena parcela da verdade, fica mais fácil aceitarmos a verdade dos outros. A partir daí, estaremos livres para cooperar realmente e compartilhar essa nossa porção ou "pedaço da verdade", com isso obtendo maior e mais completa visão da realidade.

Na Natureza nada é imobilizado, tudo faz parte de um progresso constante. No mundo em que vivemos, a verdade é relativa, pois está em permanente mutação.

Devido a essa mutabilidade, às vezes até sentimos certo "desconforto de personalidade", ou mesmo dificuldade de adaptação a novas necessidades e circunstâncias existenciais, porquanto nossas ideias, conceitos, memórias, valores, ideias e crenças, que nos dão forma a um modelo de mundo íntimo, sofrem transformação pela interferência dos fatores lugar, espaço e tempo.

Assim considerando, o indivíduo realmente generoso entende perfeitamente que "*(...) cada um deles* (os Espíritos) *tem maior ou menor vivência e, por conseguinte, maior ou menor experiência. A diferença está no grau da sua experiência e da sua vontade (...).*" [1]

Muitas vezes partimos do falso pressuposto de que todos buscam adquirir o que desejamos ou reagem exatamente como nós. Nossa carência não é igual a dos outros, e aquilo que nos provoca entusiasmo, anseio, medo ou insegurança pode não ter nenhuma repercussão sobre outrem.

Por exemplo: três pessoas olham lados distintos de um mesmo prisma; dependendo do ângulo do qual elas o observam ou o consideram, poderão ver cores diferentes, pois o prisma tem a propriedade de decompor a luz branca no espectro de cores.

Um dos lados pode irradiar a cor amarela, outro, a vermelha e outro ainda, a azul. Quando a pessoa do lado amarelo insiste em dizer que o prisma é incontestavelmente amarelo, induz as outras, que consideram os lados opostos, a não concordar: "impossível, você é daltônica; ele é vermelho". A outra diz: "que nada, ele é azul". É óbvio que todas têm um fragmento da verdade, mas como não abrem mão de possuir a verdade total, entram em discórdias e discussões.

Quase sempre, a tendência de "generalizar" faz com que distorçamos os reais objetivos da "ajuda generosa", os quais podem ser sintetizados em alguns itens importantes:

• encorajar as pessoas a uma consciência nova e mais plena de seus poderes;

• capacitá-las a tomar suas próprias decisões;

• não projetar em quem auxiliamos nossas necessidades e valores pessoais;

• utilizar de forma compassiva a "alteridade", abandonando a ânsia de tudo saber e poder.

O generoso mantém uma postura de alma em que ninguém é melhor ou pior, apenas diferente. Acredita que a ajuda real deve partir da suposição de que todos precisam ser avaliados e auxiliados de maneira individualizada.

Pecar é interpretar o outro, utilizando apenas os nossos pontos de vista. Esse hábito de sentir, pensar e agir radicalmente, elegendo o nosso jeito de ser como "norma correta" de toda realidade e reação humana, fere e desrespeita profundamente a visão de mundo dos outros.

[1] *Questão 804*

Por que Deus não deu as mesmas aptidões para todos os homens?

"Deus criou todos os Espíritos iguais, mas cada um deles tem maior ou menor vivência e, por conseguinte, maior ou menor experiência. A diferença está no grau da sua experiência e da sua vontade, que é o livre-arbítrio: daí, uns se aperfeiçoam mais rapidamente e isso lhes dá aptidões diversas. A variedade das aptidões é necessária, a fim de que cada um possa concorrer aos objetivos da Providência no limite do desenvolvimento de suas forças físicas e intelectuais: o que um não faz, o outro faz. É assim que, cada um, tem um papel útil. Depois, todos os mundos sendo solidários uns com os outros, é preciso que os habitantes dos mundos superiores – e que, na maioria, foram criados antes do vosso – venham aqui habitar para vos dar o exemplo. (361)"

Aceitação

Apenas aquele que aceitou a mudança de atitudes é que se pode considerar realmente curado, pois só a transformação íntima é que nos pode tirar, gradativamente, dos ciclos perversos dos desequilíbrios interiores que geram as enfermidades do corpo e as aflições humanas.

Não podemos deixar ninguém decidir a maneira como vamos agir. Se alguém opta pela ingratidão, não devemos nos magoar nem nos deixar arrastar por atitudes vingativas. Se outro tem um comportamento medíocre, é preciso aceitar que cada um está num determinado estágio evolutivo e, portanto, dando somente aquilo que possui. Somos nós quem decidimos como "agir"; não devemos "reagir", mas aceitar o outro tal qual ele é e prosseguir, igualmente aceitando o que somos e fazendo tudo aquilo que acreditamos ser bom e adequado para nós.

A aceitação é uma das características dos grandes homens da humanidade, que aprenderam a respeitar as leis evolutivas em si mesmos e nos outros.

"Existe em Jerusalém, junto à Porta das Ovelhas, uma piscina que, em hebraico, chama-se Betesda, com cinco pórticos. Sob esses pórticos, deitados pelo chão, numerosos doentes, cegos, coxos e paralíticos ficavam esperando o borbulhar da água. Porque o Anjo do Senhor descia, de vez em quando, à piscina e agitava a água; o primeiro, então, que aí entrasse, depois que a água fora agitada, ficava curado, qualquer que fosse a doença.

Encontrava-se aí um homem, doente havia trinta e oito anos. Jesus, vendo-o deitado e sabendo que já estava assim havia muito tempo, perguntou-lhe: Queres ficar curado? Respondeu-lhe o enfermo: Senhor, não tenho quem me jogue na piscina, quando a água é agitada; ao chegar, outro já desceu antes de mim. Disse-lhe Jesus: Levanta-te, toma o teu leito e anda! Imediatamente o homem ficou curado. Tomou o seu leito e se pôs a andar."[1]

Essa pergunta: "Queres ficar curado?" deve ser entendida no seu significado mais profundo. Nela podemos sintetizar tudo que Jesus ensinava e fazia. Trata-se de indagação que exige da criatura uma renovação das estruturas internas e, igualmente, das externas – uma verdadeira transformação psíquica.

Quando alguém é abordado assim com uma questão tão incisiva e responde: "Senhor, não tenho quem me jogue na piscina, quando a água é agitada; ao chegar, outro já desceu antes de mim", presume-se seja uma criatura que se sente "vítima de um destino cruel" e completamente impotente diante da existência. Quem se posiciona dessa forma não admite ser responsável por suas desditas e sempre acusa os outros ou as circunstâncias por não se sentir feliz ou sadio.

São indivíduos que nunca conseguem falar de si mesmos para expor e refletir sobre seus atos, pensamentos e emoções. Durante um diálogo, apenas culpam ou acusam as pessoas com quem convivem e incriminam a tudo e a todos pelas próprias desventuras.

Somos pessoalmente responsáveis pela infelicidade que vivenciamos; a felicidade somente fica fora de nosso alcance quando não aceitamos perceber a nós mesmos.

Entretanto, se o enfermo respondesse: "Sim, é claro que quero me curar", poderíamos dizer que nasceu nele um comprometimento com a mudança de atitude e com a autorresponsabilidade. Pressupõe-se que ele se compromete inteiramente com a proposta recebida do Mestre Amoroso e se submete à terapia de renovação íntima. De outra forma, ele está longe de ser um homem curado em definitivo, transformado, dotado de lucidez mental e de novas concepções a respeito da Vida.

Jesus Cristo – o Médico das Almas – não olha só sintomas externos, mas quer a transformação interior, a mudança integral do ser humano. No fundo, as criaturas imaturas desejam uma cura imediatista para os seus males, não aspirando senão a mudanças superficiais. Exigem, sem nenhum esforço, que as bênçãos desçam sobre seus caprichos infantilizados ou desejos precipitados; querem "pagar um preço" irrisório pelo desenvolvimento e crescimento espiritual. Esse preço não se paga com auto-ilusão, com atitudes de vitimização ou de autopiedade, e sim com mudança de comportamento interior.

Todavia, já curado, o ex-enfermo denuncia Jesus a seus inimigos, que procuravam um pretexto para prendê-lo e executá-lo. Assim prossegue o apóstolo João na sua narrativa: "Depois disso, Jesus o encontrou no Templo e lhe disse: Eis que estás curado; não peques mais, para que não te suceda algo ainda pior! O homem saiu e informou aos judeus que fora Jesus quem o tinha curado. Por isso os judeus perseguiam Jesus: porque fazia tais coisas no sábado" [2].

O Mestre Nazareno aceitou a atitude de ingratidão do ex-paralítico por saber que tudo obedece a um ritmo natural e que a transformação espiritual não acontece de forma abrupta. Por isso alertou-o, dizendo: "Não peques mais, para que não te suceda algo ainda pior!" Cristo possuía amplo conhecimento de que a evolução é uma espiral infinita e que cada qual atinge uma "paisagem existencial" de acordo com a posição em que se encontra. A cura física pode ser um meio, mas somente a plena conscientização é o fim.

"(...) Há o progresso regular e lento que resulta da força das coisas. (...) As revoluções morais, como as revoluções sociais, se infiltram pouco a pouco nas ideias e germinam durante os séculos; de repente, estouram e fazem ruir o edifício carcomido do passado, que não está mais em harmonia com as necessidades novas e as novas aspirações (...)" [3]

Apenas aquele que aceitou a mudança de atitudes é que se pode considerar realmente curado, pois só a transformação íntima é que nos pode tirar, gradativamente, dos ciclos perversos dos desequilíbrios interiores que geram as enfermidades do corpo e as aflições humanas.

[1] *João, 5:2 a 9*

[2] *João, 5:14 a 16*

[3] *Questão 783*

O aperfeiçoamento da Humanidade segue sempre uma marcha progressiva e lenta?

"Há o progresso regular e lento que resulta da força das coisas. Mas quando um povo não avança muito depressa, Deus lhe suscita, de tempos em tempos, um abalo físico ou moral, que o transforma."

Nota *- O homem não pode ficar, perpetuamente, na ignorância, porque deve atingir o fim marcado pela Providência: ele se esclarece pela força das coisas. As revoluções morais, como as revoluções sociais, se infiltram pouco a pouco nas ideias e germinam durante os séculos; de repente, estouram e fazem ruir o edifício carcomido do passado, que não está mais em harmonia com as necessidades novas e as novas aspirações.*

O homem não percebe, frequentemente, nessas comoções, senão a desordem e a confusão momentâneas que o atingem nos seus interesses materiais. Aquele que eleva seu pensamento acima da personalidade, admira os desígnios da Providência, que do mal faz surgir o bem. A tempestade e a agitação saneiam a atmosfera depois de a ter perturbado.

Aceitação

Tenhamos em mente que não somos o que os outros pensam e, muitas vezes, nem mesmo o que pensamos ser; mas somos, verdadeiramente, o que sentimos. Aliás, os sentimentos revelam nosso desempenho no passado, nossa atuação no presente e nossa potencialidade no futuro.

Auto-aceitação é um dos desafios que recebemos na vida. Ou vivemos como pessoas libertas do jugo alheio, ou aceitamos ser manipulados e viver afastados ou separados daquilo que sentimos e pensamos.

Quando aceitamos a nós mesmos, eliminamos as amarras de doentia dependência que nos vinculam aos outros, cujos costumes, crenças e valores não são os nossos. E reconhecemos que podemos viver e nos relacionar respeitando o modo de ser deles, da mesma forma que devemos respeitar a nossa individualidade e liberdade de pensamento, sem nenhum receio de discriminação ou isolamento.

Uma das maiores preocupações de certas pessoas é o que os outros poderão pensar a respeito delas. Fixam seu estado de ânimo na volubilidade das atitudes alheias, nas opiniões ou pontos de vista instáveis da coletividade.

O valor e a importância que essas criaturas atribuem a si próprias oscilam de conformidade com o juízo mutável e vacilante das massas, visto que elas se estruturam sobre um padrão de personalidade ciclotímico – caracterizado por períodos de alegria exagerada e hiperatividade, intercalados com outros de depressão, angústia e inércia.

Quanto mais nos preocuparmos com a impressão que causamos aos outros, menos descobriremos quem realmente somos. A propósito, o ardor do empenho que fazemos para ser valorizados é proporcional à desvalorização que sentimos por nós.

O que as pessoas pensam de nós é um problema delas; não podemos nos ver tal como os outros nos veem, pois isso nos levará a viver alienados, ignorando os fatores psicológicos ou sentimentos e emoções que nos fazem agir perante a vida de acordo com nossos impulsos internos.

Querer parecer impecável diante dos outros é tarefa desgastante e desnecessária. Por mais que nos consumamos energeticamente no esforço de agradá-los, nunca faremos o suficiente para que eles nos vejam melhores ou piores do que realmente somos.

A esfera intelectual explica aquilo que sentimos, todavia ela pode racionalizar os sentimentos, criar álibis e disfarces que nos afastem da nossa verdade interior. Tenhamos em mente que não somos o que os outros pensam e, muitas vezes, nem mesmo o que pensamos ser; mas somos, verdadeiramente, o que sentimos. Aliás, os sentimentos revelam nosso desempenho no passado, nossa atuação no presente e nossa potencialidade no futuro.

Os bons dicionaristas definem reputação como conceito de que goza uma pessoa em seu grupo social. Reputar (do latim *reputare*) significa computar, contar, achar, julgar, considerar. Ou mesmo, avaliar e ter em conta o "bom nome" de alguém, ou julgar as pessoas como "certas" ou "erradas".

Devemos dar mais importância e atenção à nossa consciência do que à nossa reputação. A consciência está ligada à soberania da Vida Superior, enquanto a reputação é condicionada ao caráter instável e temperamento vacilante dos seres humanos.

Milhões de criaturas creem em coisas bem diferentes, porque

ensinamentos diversos lhes foram transmitidos quando crianças. Coisas dessemelhantes foram ensinadas a crianças budistas, cristãs, xintoístas, muçulmanas e hinduístas. Se essas mesmas crianças forem chinesas, francesas, indianas, russas ou vietnamitas, cada uma delas crescerá com a firme convicção racial e religiosa de que estão certas e as outras, erradas. Ainda entre as mesmas religiões, há pontos de vista divergentes sobre os tratados teológicos ou doutrinários e, portanto, há dissensões.

A reputação está vinculada à "moral social", às regras, valores, raça, tradição e costumes de uma era, época ou povo, enquanto a consciência está interligada às leis eternas e naturais de todos os tempos.

Quando as pessoas nos disserem alguma coisa sobre algo ou alguém, deveremos pensar de nós para nós mesmos: será isso verdade para quem? Que tipo de prova existe? Há elementos mais claros e específicos para estimar esse fato? Qual a base referencial que devo adotar para fazer essa avaliação? Será que as pessoas envolvidas creem apenas por força da religião, tradição, autoritarismo ou revelação mística? Há elementos mais objetivos para apreciar essa atitude?

"*O Espírito que animou o corpo de um homem, em nova existência, pode animar o de uma mulher, e vice-versa (...)*", pois, na verdade, "*(...) são os mesmos Espíritos que animam os homens e as mulheres.*" [1]

Cada individualidade traz consigo uma experiência única e particular na área sexual e, portanto, uma estrutura psicológica também específica, com particularidades masculinas e femininas. Em determinadas situações evolutivas, encarnamos como homem; em outras, como mulher. Em vista disso, a alma atravessa imensos estágios de aprendizagem e desenvolvimento na noite dos tempos, constituindo em sua intimidade o fenômeno da bissexualidade. Dessa maneira, homens e mulheres nada mais são do que Espíritos imortais usando temporariamente uma vestimenta masculina ou feminina.

Ao julgarmos algo ou alguém, quase sempre emitimos pareceres ilusórios, não fundamentados em bases, razões e motivos sólidos. Pronunciamos uma sentença prematura de condenação ou de absolvição, sem conhecimento prévio de tudo o que vem ocorrendo na intimidade humana.

Não nos damos conta de que um julgamento arbitrário é o "declínio do entendimento", da empatia, da complacência e da aceitação para com a nossa "diversidade existencial", bem como para a das outras pessoas. O julgamento é o "naufrágio da compreensão".

Ao alterarmos a nossa "visão efêmera" para uma "visão de eternidade", mudamos a "concepção de mundo" cartesiano e simplista em que vivemos, alterando assim as conclusões equivocadas a respeito das pessoas e da vida. O normal, o anormal, o moral, o imoral, o natural e o não natural são relativos, mesmo quando se trata da configuração ou da aparência externa da matéria.

Jesus de Nazaré, numa atitude incomum em seu tempo, demonstrava apreço e respeito aos excluídos e discriminados, oferecendo igual atenção às diferenças de classe e sexuais; aos ladrões, às prostitutas, aos adúlteros, aos cobradores de impostos. Não fazia acepção ou escolha em favor de pessoa por sua classe social, título, sexo, nacionalidade.

O Mestre deixou claro que, para Deus, não havia eleitos – o reino dos céus era uma conquista comum a todos aqueles que cultivassem o amor a Deus, ao próximo e a si mesmo. Essa convicção é que levou Paulo de Tarso a afirmar aos cristãos da igreja da Galácia: "Deus não faz acepção de pessoas." [2]

[1] *Questão 201*

O Espírito que animou o corpo de um homem, em nova existência, pode animar o de uma mulher, e vice-versa?

"Sim, são os mesmos Espíritos que animam os homens e as mulheres."

[2] *Gálatas, 2:6*

Índice das questões de "O Livro dos Espíritos"

Notas:
[1] Número da questão ("O Livro dos Espíritos" - Boa Nova Editora).
[2] Número da página ("Os Prazeres da Alma" - Boa Nova Editora) que inicia o capítulo onde a questão é tratada.

boanova
editora

RENOVANDO
ATITUDES
FRANCISCO DO ESPIRITO SANTO NETO
ditado por HAMMED
boanova